LA FACE CACHÉE DE L'ORGANISATION

Groupes, cliques et clans

paramètres

Luc Brunet et André Savoie

LA FACE CACHÉE DE L'ORGANISATION

Groupes, cliques et clans

Les Presses de l'Université de Montréal

Catalogage avant publication de la Bibliothèque nationale du Canada

Brunet, Luc, 1953-
La face cachée de l'organisation : groupes, cliques et clans
(Paramètres)
Comprend des réf. bibliogr.

ISBN 2-7606-1866-8

1. Communication dans les organisations.
2. Petits groupes.
3. Comportement organisationnel.
4. Psychologie du travail.
5. Communication dans l'entreprise.
I. Savoie, André, 1946- .
II. Titre.
III. Collection.

HD30.3.B79 2003   658.3'145   C2003-940499-4

Dépôt légal : 2ᵉ trimestre 2003
Bibliothèque nationale du Québec
© Les Presses de l'Université de Montréal, 2003

Les Presses de l'Université de Montréal remercient de leur soutien financier le ministère du Patrimoine canadien, le Conseil des Arts du Canada et la Société de développement des entreprises culturelles du Québec (SODEC).

Imprimé au Canada

À la mémoire de mon père
Lambert Brunet

AVANT-PROPOS

Ce livre est le résultat de près de 10 années de recherche portant sur le développement naturel de groupes en milieu de travail. Ces études n'auraient pu voir le jour sans les subventions du gouvernement du Québec (FCAR) et du gouvernement du Canada (CRSH), ainsi que l'apport important des étudiants composant nos groupes de recherche. Nous tenons à les remercier chaleureusement. Les études pionnières de Sylvie Jourdain, de Roger Laroche et d'Andrée Spénard, trois chercheurs qui ont formé la première édition de l'équipe de recherche sur les groupes informels (ERGI 93), ont établi des données provisoires sur ceux-ci en ce qui concerne leur taille (cinq membres), leur durée de vie (cinq ans), leur composition (autant intra qu'interdépartemental, autant de même niveau hiérarchique que de niveaux différents). Au plan comportemental, les membres d'un groupe informel semblaient avoir tendance à se fréquenter hors travail et à s'offrir un soutien mutuel en regard du travail ou d'autres problèmes.

Les travaux du deuxième groupe de recherche (ERGI 95) auquel se sont joints Geneviève Lortie, Éveline Marcil-Denault, Sylvain Labrie, François Courcy, Catherine Guertin, Isabelle Tremblay, Charles Perreault et notre collègue de l'Université de Neuchâtel en Suisse, Michel Rousson, ont mis en lumière l'existence de deux facteurs distincts de l'expérience groupale des membres, c'est-à-dire l'amitié et l'appui au travail. Ainsi, il appert que les membres trouvent dans leur groupe non seulement une compagnie agréable au travail au sein de laquelle ils peuvent exprimer leurs aspirations, leurs émotions et leurs frustrations sans crainte, mais aussi une source fiable d'information, de ressources et de contacts, de même que la disponibilité d'appuis et de soutien sûr. Dispositif naturel de soutien des membres, le groupe informel permettrait à ses membres de combler leurs besoins socioaffectifs laissés en rade par l'organisation formelle, tout comme de mieux connaître les exigences de leur milieu de travail et de mieux y répondre.

Notre troisième équipe de recherche (ERGI 98), à laquelle se sont joints Charles Baron (que nous tenons à remercier chaleureusement pour son aide dans la synthèse des résultats qui a servi de canevas pour la rédaction de ce livre), Vincent Rousseau, Caroline Aubé, Catherine Amiot et Jean-Sébastien Boudrias, a poursuivi la recherche en s'appuyant cette fois sur plus d'une centaine de groupes informels : jusqu'à deux travailleurs sur trois seraient membres d'un groupe informel et ces derniers sont un peu plus souvent des cliques verticales (multihiérarchiques) qu'horizontales. Les cliques horizontales ne sont d'aucune manière des groupes de résistance au changement, comme le laissait entendre la documentation. Hors de tout doute, les membres des groupes informels aiment se rencontrer en dehors des heures de travail ; l'amitié est le maître mot pour qualifier leurs relations, même si leurs rapports incluent aussi d'importants échanges instrumentaux.

INTRODUCTION

Nos organisations modernes (industries, commerces, écoles, hôpitaux, etc.) sont des microsystèmes sociaux dans lesquels on retrouve la plupart des composantes ou des champs de force existant dans nos sociétés. Le regroupement des individus en clans, cliques ou autres est l'un de ces phénomènes sociaux que l'on voit apparaître dans une organisation et ce, sans que la direction ou les personnes en poste d'autorité aient nécessairement planifié leur existence.

Ainsi, dans toute organisation, un certain nombre de relations interpersonnelles apparaissent sans que l'autorité légitime en ait planifié l'émergence. Ces relations informelles s'organisent spontanément et prennent souvent la forme de *psychogroupes* bien distincts de l'organigramme officiel. Qui n'a jamais entendu parler de clans ou de cliques au travail? Bien que parfois difficiles à circonscrire, ces petits groupes ont des incidences sur le fonctionnement organisationnel qui sont multiples et bien réelles. En fait, leur capacité à façonner les attitudes et les comportements des travailleurs suscite l'intérêt d'un grand nombre de chercheurs depuis plusieurs décennies. En effet, plus de 8 000 articles, recherches ou études ont été publiés à ce sujet depuis 1945. Les théories des organisations s'intéressent de plus en plus à la notion de groupe, surtout depuis la publication des recherches conduites par Elton Mayon dans les années 1930. Cette étude célèbre a eu une influence déterminante sur l'évolution des sciences du comportement organisationnel et a démontré l'existence des groupes informels et leur impact sur la vie organisationnelle, en particulier sur la productivité des travailleurs et la résistance aux changements. En effet, les résultats de la célèbre expérience de la Bank Wiring Room, à laquelle participaient 14 travailleurs dans les années 1930, ont révélé l'existence de deux cliques entourées de quelques personnes gravitant autour d'elles. Les membres de ces groupes informels entretenaient les uns avec les autres des relations privilégiées et avaient, de plus, développé une série de normes de groupe, ainsi qu'une hiérarchie accordant à chacun des membres un statut social particulier du groupe et ce, sans tenir compte de sa position dans l'organisation formelle. Selon Roethlisberger et Dickson (1947), les chercheurs engagés dans cette expérience ont démontré que les employés de cette unité de travail n'entretenaient pas de relations avec l'administration en tant qu'individus mais plutôt en tant que membres d'un groupe informel, en ce sens que le groupe jouait un rôle de médiation dans la relation gestionnaires-travailleurs. Ainsi, cet intérêt prononcé pour les petits groupes ne semble toutefois pas innocent, mais plutôt attribuable à leur impact déterminant dans le façonnement des attitudes et des comportements des travailleurs (Sayles, 1963). En effet, les études sur la dynamique des groupes restreints révèlent que les façons d'être et d'agir des membres ne relèvent pas toujours de leur psychologie individuelle. Ainsi, lorsque soumis à l'influence et aux normes du groupe, ils agiraient davantage en tant que membres du groupe qu'en tant qu'employés. En ce sens, les normes informelles débordent souvent le contrôle de la gestion et entrent parfois même en compétition avec les règles formelles.

Parmi ces regroupements, les groupes informels apparaissent particulièrement dignes d'intérêt et ce, pour plusieurs raisons. D'abord, ce type de groupe est très répandu dans nos organisations. En effet, son effectif compterait, selon certaines statistiques, plus des deux tiers des travailleurs québécois.

Ensuite les groupes informels ont souvent mauvaise presse auprès des gestionnaires, tout comme auprès de certains chercheurs et théoriciens de l'organisation. D'une part, plusieurs gestionnaires leur attribuent une influence délétère. Ils craignent qu'ils ne créent des problèmes dans l'organisation, en mettant sur pied des syndicats, par exemple, ou pire, en notre ère de mondialisation des marchés, qu'ils ne soient au service d'une volonté de résistance aux changements. D'autre part, les chercheurs et théoriciens des organisations esquissent souvent un sombre portrait du groupe informel. L'école bureaucratique classique, entre autres, l'accuse d'être au service de l'irrationalité des travailleurs et de contrer les efforts d'efficacité du management, alors que l'école politique le considère comme un foyer autonome de discorde. Outre ces descriptions peu reluisantes du groupe informel, l'ensemble de la documentation scientifique reconnaît à celui-ci un pouvoir d'influence considérable sur le fonctionnement organisationnel et l'expérience des membres au travail.

On rapporte notamment que les membres des groupes informels s'échangent des informations privilégiées (ex. : promotion à venir, façon d'obtenir des ressources, trucs) dont ils privent les autres travailleurs. De même, leurs échanges de services leur permettraient de contourner et de court-circuiter les contrôles formels, ou bien encore de faire valoir leur point de vue là où, formellement, ils n'auraient pas eu voix au chapitre. Plus encore, les membres de groupes informels réinterpréteraient la réalité organisationnelle, de sorte qu'ils prendraient davantage position — pour, contre ou en neutralité — par rapport aux volontés managériales. Par exemple, citons l'étude réalisée par l'Institut Tavistock de Londres sur l'organisation du travail dans les mines de charbon britanniques dans les années 1950, sans oublier l'étude que Crozier (1963) a menée dans une entreprise française, publiée dans l'ouvrage intitulé *Le phénomène bureaucratique*, où cet auteur décrit les mécanismes par lesquels un groupe informel de travailleurs exerçait son emprise sur un second groupe d'employés. En somme, ces diverses recherches démontrent de toute évidence l'importance de s'intéresser, en tant que chercheur en psychologie du travail, à l'existence des groupes informels dans les organisations et à leurs effets organisationnels et individuels.

Cependant, selon Stevenson *et al.*, (1985), il y a une tendance chez les théoriciens en management à négliger l'existence, à l'intérieur des organisations, des buts multiples, possiblement conflictuels et ambigus qui résultent en des coalitions partielles. Cameron (1978) souligne l'importance des coalitions, surtout dominantes, dans l'efficacité organisationnelle. Quinn et Rohbraugh (1981) vont plus loin en affirmant que l'efficacité organisationnelle est à l'image du bon vouloir des nombreux groupes et coalitions qui composent une organisation.

Les premières observations et les témoignages recensés par notre équipe de recherche présentent un portrait différent de l'impact des groupes informels sur l'efficacité et le bien-être individuel.

En effet, les membres affirment souvent que l'adhésion à leur groupe a été une étape décisive dans leur intégration sociale au travail, de sorte qu'ils ont pu s'y sentir davantage « chez eux ». Désormais, ils ont accès à la « réalité informelle » de l'organisation, en ce sens qu'ils sont en mesure de comprendre et de prévoir les événements qui s'y déroulent, de saisir les non-dits et d'être au fait des quelques règles informelles à respecter au travail (ex. : toujours tutoyer ses collègues ou son supérieur immédiat, mais jamais les cadres supérieurs de l'organisation). Par-dessus tout, les membres se tournent toujours vers leur groupe pour valider leurs perceptions ou demander un conseil lorsqu'ils éprouvent de la difficulté à composer avec des situations complexes, ambiguës ou stressantes au travail. Les membres de groupes informels disent avoir confiance en leurs pairs, ces personnes disponibles qui savent et comprennent mieux que quiconque la réalité quotidienne de leur travail : ce sont pour eux de véritables amis qui les aident à composer avec les exigences de leur travail.

Qui plus est, la part informelle des organisations et les groupes informels constituent des phénomènes organisationnels dont les incidences sur le fonctionnement organisationnel, nommément la productivité et le changement, ont déjà été observées par Roethlisberger et Dickson (1939/1967) et Trist et Bamforth (1951).

Dès lors, on comprend mal que la part informelle de l'organisation et le groupe informel en particulier aient fait l'objet de si peu de recherches empiriques. Présumé connu, le groupe informel a essentiellement suscité des écrits théoriques et, dans quelques cas, des observations qui relèvent davantage du domaine de l'anecdote que d'une démarche scientifique intégrée. Cette rareté empirique présente toutefois le danger de généraliser des faits anecdotiques et de reléguer dans l'ombre d'autres éléments de compréhension pertinents à l'étude des phénomènes informels. Ainsi, à l'instar de Miles et Huberman (1984), nous croyons que les connaissances actuelles sur les groupes informels se fondent sur des recherches populaires peut-être peu représentatives de l'ensemble du phénomène.

VISÉES DE CET OUVRAGE

Ce livre constitue l'aboutissement de maintes études empiriques qui ont nécessité le concours de nombreux travailleurs et gestionnaires. C'est donc animés du désir de leur exprimer notre gratitude, de leur rendre les fruits de leur précieuse collaboration, et surtout de mettre notre science au service de la *praxis* que nous avons écrit ce livre (une phase essentielle de la recherche trop souvent reléguée au second plan à notre avis).

Par conséquent, si cette monographie présente une synthèse des connaissances empiriques acquises par l'entremise de l'effervescente activité de notre équipe — l'Équipe de recherche sur les groupes informels (ERGI)[1] —, elle n'en demeure pas moins aussi destinée aux gestionnaires de tous horizons, aux individus œuvrant en ressources humaines, aux consultants en développement organisationnel, bref, aux praticiens. Nous pensons aussi que cet ouvrage interpellera et intéressera tout autant les universitaires, chercheurs comme étudiants.

Cet ouvrage se veut un apport original dans l'état des connaissances et de la recherche sur les groupes informels, mais aussi sur la part informelle de l'organisation et sur les groupes restreints. En effet, en dégageant

---

1. ERGI : Équipe de recherche sur les groupes informels, Département de psychologie, Université de Montréal.

la culture et les processus dynamiques des groupes informels, nous avons l'espoir d'aider à saisir la signification de certains comportements organisationnels posés par des membres qui nous apparaîtraient autrement difficiles, voire impossibles à comprendre. De plus, nous croyons que nos recherches sauront intéresser ceux qui étudient les groupes restreints ou interviennent auprès d'eux. En effet, nous nous comptons parmi les rares équipes de recherche à avoir étudié des groupes restreints dans leur environnement, de sorte que nous croyons répondre en partie à l'appel lancé par Simone Landry en 1988, selon qui «la recherche [auprès des groupes restreints] sera d'autant plus fructueuse qu'elle permettra d'intégrer les phénomènes et les processus groupaux en une vision globale, nécessairement systémique».

1

LA RÉALITÉ INFORMELLE
DES ORGANISATIONS

Objectifs du chapitre

L'objectif de ce chapitre est d'amener le lecteur à distinguer la structure formelle de la structure informelle dans les organisations et de situer la notion de groupe informel à l'intérieur du développement de la psychologie du travail et des théories de l'organisation.

LA PART INFORMELLE DES ORGANISATIONS

Des observateurs font, depuis des siècles, la distinction entre le fonctionnement attendu et le fonctionnement inattendu des organisations. Que cette distinction soit faite, encore et toujours, sous une variété de noms différents, suggère qu'il y a là un phénomène universel qui avait déjà été identifié à l'époque de Jules César (-50 avant J.-C.), comme l'atteste l'emploi des termes de *jure* (*de droit*; légal, officiel) et *de facto* (*de fait*; réel mais non officiel) (Dalton, 1959, p. 219, traduction de Mintzberg, 1979/1982).

À toute organisation formelle se greffe inévitablement une contrepartie informelle (Sayles, 1963). En effet, des relations interpersonnelles non prescrites par l'autorité légitime émergent immanquablement dans les organisations et outrepassent, par le fait même, ce qui aurait pu être planifié ou attendu de la part des employés (Zaremba, 1988). Ce type de relations relève de la sphère informelle et incarne aux yeux de Scott (1981) une véritable structure parallèle à la structure formelle de l'organisation. Baker (1981) et Strapoli (1975) attribuent à la part informelle de l'organisation une influence suffisamment puissante pour moduler, à la hausse ou à la baisse, le fonctionnement de l'organisation.

Structures formelle et informelle

Considérer l'organisation selon une approche rationnelle où le jeu des forces répondrait à une dynamique logique selon une conception de génie physique nous amène à négliger un aspect important basé sur les interrelations humaines et le fonctionnement psychosocial. Les liens que les membres de l'organisation établissent entre eux, sur la base de sentiments et d'intérêts personnels, en conformité, en neutralité ou en opposition aux objectifs de l'organisation ou de ses unités, forment un réseau informel d'échanges. Ce réseau informel comprend des centres d'influence, des circuits de communication et des processus de décision plus ou moins indépendants des centres d'autorité.

Structure formelle

La structure formelle d'une organisation peut se définir (Bergeron, 1986) comme l'ensemble des relations qui existent entre les unités organisationnelles ou les membres d'une organisation. Mintzberg (1982), pour sa part, définit la structure d'une organisation comme la somme totale des moyens employés pour diviser le travail entre des tâches distinctes et pour ensuite assurer la coordination nécessaire entre ces tâches. Ce même auteur postule que cinq mécanismes de coordination peuvent expliquer la structuration du travail; ce sont : l'ajustement mutuel, la supervision directe, la standardisation des procédés, la standardisation des qualifications et la standardisation des résultats.

Mintzberg ajoute même que :

L'organigramme est une description discutable de la structure. La plupart des organisations le trouvent toujours indispensable, et inévitablement, le donnent avant tout autre élément quand elles veulent décrire la structure. Mais de nombreux spécialistes d'organisation le rejettent, le considérant comme une description inexacte de ce qui se passe à l'intérieur de l'organisation. Il est clair que dans chaque organisation, il y a des relations de pouvoir et de communication qui sont importantes et qui ne font pas l'objet d'un document écrit (1982 ; p. 52).

Selon Bergeron (1986), au niveau de la structure organisationnelle, on peut considérer une organisation selon l'angle vertical, soit les différents paliers où œuvrent les gestionnaires (employés, cadres inférieurs, cadres intermédiaires, cadres supérieurs, etc.) ou selon l'angle horizontal (spécialisation par fonction). La figure 1 présente l'agencement possible de la structure formelle dans sa forme traditionnelle.

Finalement, Rousseau (1990) soutient aussi que les conflits organisationnels se caractérisent essentiellement par une forme d'opposition

FIGURE 1

Exemple de structure organisationnelle typique : l'organigramme

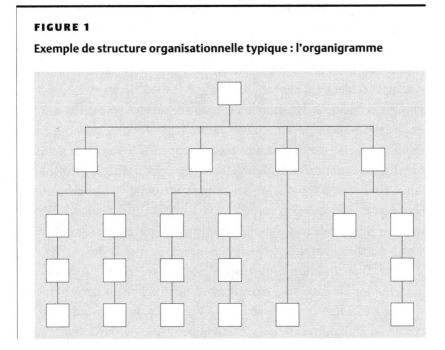

entre l'organisation formelle et l'organisation informelle, saisie dans la personnalité ou les relations primaires des individus qui la composent et la remise en cause des rapports hiérarchiques, d'autorité et de pouvoir.

Structure informelle

Toute structure formelle favorise l'apparition d'une structure informelle composée de groupes d'acteurs, membres de l'organisation, qui développent des objectifs en faveur de l'organisation ou contre elles. Selon Zaremba (1988 ; voir Lorrain et Brunet, 1993), l'informel fait nécessairement partie des organisations, et Farris (1979) ajoute qu'aucune organisation ne peut fonctionner efficacement sans sa partie informelle. Plusieurs chercheurs (Tichy, 1973 ; Polsky, 1978 ; Stevenson *et al.*, 1985 ; Farris, 1979) déplorent le peu de recherche sur l'émergence et le fonctionnement des groupes informels en milieu organisationnel.

Pourtant, dès 1938, Barnard (voir Tichy, 1973) discutait déjà des effets de la structure formelle sur la structure informelle. Depuis, il est reconnu, comme le rapportent Blackburn et Cumming (1982), Farris (1979), Fennell et Sandefur (1983) et Scott (1981), qu'à toute structure formelle se greffe une structure informelle composée de groupes divers d'acteurs organisationnels. Et, tel que le mentionne Tichy (1973), ce regroupement n'est pas accidentel, il répond aux besoins et objectifs des membres d'un système, bien que la dynamique à la base de ce regroupement ne soit pas encore pleinement connue. Tannenbaum (1967) avance que l'organisation formelle ne se trouve jamais pleinement réalisée dans le comportement de ses membres. Il semble que des organisations informelles apparaissent dans toutes organisations formelles. Pour cet auteur, l'enquête de Hawthorne a révélé l'universalité et l'importance de l'organisation informelle sous-jacente à la structure formelle, la première se créant parallèlement à la dernière et souvent à partir d'elle.

Ainsi, l'organisation informelle n'est pas préétablie, elle résulte de la formation de liens qui se constituent infailliblement dans tout système social. Elle peut répondre à des besoins psychologiques, tels les besoins d'affiliation et de socialisation, par exemple, mais ne s'analyse pas seulement en ces termes, car elle est tributaire des conditions formelles. À cause de cela, l'appréhension de l'organisation réelle ne peut se faire que par l'étude de l'un de ces systèmes, formel ou informel, en fonction de l'autre et vice-versa.

Scott (1981), quant à lui, parle de la structure sociale d'une organisation qui serait composée de la structure formelle et de la structure informelle. La structure informelle serait, selon cet auteur, beaucoup plus ordonnée qu'on ne le croit. Les membres d'une organisation formelle génèrent des normes informelles et des modèles de comportements, de statuts, de pouvoir, des réseaux de communication, des structures sociométriques et des modes de travail qui leur sont propres. La structure formelle d'une institution généralement conçue pour réguler le comportement des membres vers l'atteinte d'objectifs spécifiques est fortement touchée par l'émergence d'une structure informelle.

La structure informelle peut accentuer les fonctions positives de la structure formelle, en facilitant la communication, en suscitant la confiance et en corrigeant les insuffisances du système formel. En général, une structure fortement centralisée et formalisée peut être inefficace et irrationnelle, dans le sens qu'elle peut vider une organisation de ses ressources précieuses, telles que l'intelligence et l'initiative de ses participants. Scott (1981), décrit l'organisation informelle comme des modèles d'interactions humaines qui ne sont pas représentés dans l'organisation formelle.

À cet égard, Scott (1981) voit des similitudes entre la structure informelle de l'organisation et la partie submergée d'un iceberg : invisible pour l'observateur externe, elle revêt une importance déterminante sur les attitudes, les valeurs, les sentiments et les normes partagés par les travailleurs. Plus encore, Strapoli (1975) lui reconnaît une force pouvant aller jusqu'à renverser les buts de l'autorité officielle, alors qu'à l'opposé, Baker (1981) la croit susceptible de rendre l'organisation plus efficace en dépit d'une gestion déficiente. Bref, si la gestion désire atteindre ses propres objectifs et être efficace, elle semble contrainte à prendre en considération le pouvoir d'influence de l'organisation informelle, souhaitable ou indésirable selon la situation (Strapoli, 1975 ; Farris, 1979).

L'informel se manifeste de façons variées dans une organisation. L'employé qui obtient un privilège parce qu'il est l'ami d'un cadre haut placé, le groupe des travailleurs qui vont dîner au restaurant ensemble le midi, l'équipe de travail qui choisit de donner un rendement inférieur à celui prescrit et les employés mécontents qui revendiquent ensemble une amélioration de leurs conditions de travail sont autant d'exemples de manifestations de l'informel dans l'organisation (Laroche, 1991).

En fait, un bien large éventail de phénomènes organisationnels sont à classer sous la seule rubrique de l'informel. Dès lors, comment définir les phénomènes informels qui se produisent dans l'organisation ? Qu'est-ce qui relève de l'informel et qu'est-ce qui n'en relève pas ? Quels sont les paramètres qui permettent de distinguer le formel de l'informel ?

Une préoccupation issue de la Révolution industrielle

La distinction entre ce qui est formel et informel n'est pas un fait nouveau, mais semble inscrite dans l'histoire de la civilisation occidentale. À l'époque des Romains, il existait déjà un vocabulaire servant à désigner cette dualité, comme en témoigne l'emploi des termes *de jure* et *de facto*. Par ailleurs, on retrace l'origine des préoccupations liées à l'informel seulement depuis la mise sur pied des premières grandes organisations.

Avant la Révolution industrielle, le mode d'organisation du travail prévoyait l'octroi de contrats à des équipes spécialisées qui s'engageaient à exécuter certaines tâches dans leurs champs de compétence respectifs. C'était l'époque des artisans et des compagnons ; grâce à leur expertise et à la rareté de la main-d'œuvre spécialisée, les travailleurs entretenaient les employeurs dans un état de dépendance relative (Durand, 1991) et gardaient confidentiels ou secrets les trucs ou raccourcis utilisés pour exécuter leur travail. Ils pouvaient maintenir leur employeur dans une ignorance relative.

Par l'organisation scientifique du travail, Taylor a divisé le travail en de petites unités pouvant être effectuées avec un minimum de formation, de telle façon qu'aucun travailleur ne soit indispensable au processus de production. Cette situation a toutefois des effets marginaux sur la répartition du pouvoir : les employeurs devenant moins dépendants de la spécialisation, les entreprises ont pu accroître considérablement la taille de leurs effectifs. Ainsi débute une ère nouvelle, où machines et travailleurs sont regroupés dans de grandes organisations et où le pouvoir de la direction règne sans partage. Par ailleurs, les travailleurs bénéficient désormais d'un pouvoir basé sur leur nombre, de sorte que de premiers regroupements informels se forment pour résister aux pressions visant l'augmentation des quotas de production (Durand, 1991). Les premiers syndicats étaient des formes de regroupement informel : on n'a qu'à penser aux Chevaliers du travail, première organisation syndicale, non reconnue légalement, ayant pris naissance aux États-Unis, à la fin des années 1800. Les membres de cette association se réunissaient dans des lieux tenus secrets et à l'insu de leurs employeurs, pour discuter de leurs conditions de travail.

Ainsi, les premières préoccupations face aux phénomènes informels dans l'organisation se sont développées autour de la répartition du pouvoir. Du coup, l'organisation formelle et sa main-d'oeuvre semblent s'engager dans un rapport de force en poursuivant des objectifs apparemment opposés, soit la croissance et l'efficience organisationnelle d'une part, et le bien-être individuel d'autre part.

Limites d'une compréhension classique de l'informel

Dans une perspective organisationnelle, plusieurs auteurs ont présenté des définitions du formel et de l'informel (Dalton, 1959 ; Farris, 1979 ; Jacques, 1979a ; Mintzberg, 1979/1982 ; Tichy et Fombrun, 1979). Ces définitions ont toutes un point commun : elles stipulent que le formel est ce qui est voulu et planifié, alors que l'informel émerge spontanément. De façon plus large, le mot formel revêt la connotation de ce qui est prescrit, *faisant l'objet d'un accord*, officiel, fixe, imposé et planifié, alors que l'informel revêt la connotation de ce qui est spontané, inattendu et fluide. Ainsi, l'informel est défini dans la documentation scientifique par la négative, sur la base de ce qu'il n'est pas, soit quelque chose de non voulu ou de non désiré par les détenteurs de l'autorité formelle.

La distinction du formel et de l'informel sur la seule base de *ce qui est prescrit ou non* nous semble toutefois être un élément de définition bien mince et peu utile à la compréhension des phénomènes informels et du fonctionnement réel de l'organisation.

D'abord, les relations qui s'installent entre les acteurs organisationnels revêtent toujours une dimension non prescrite. Les travailleurs étant d'abord et avant tout des êtres sociaux, ils cherchent toujours à combler leurs besoins relationnels, de façon plus ou moins consciente, en relation avec leurs vis-à-vis, que ceux-ci soient leurs patrons, leurs collègues ou leurs subordonnés. Dans cette optique, l'école des systèmes naturels soutient que le comportement des travailleurs n'est jamais purement instrumental, mais reflète aussi toute leur personne, en incluant leurs sentiments, leurs attentes, leurs préoccupations et leurs intérêts (Scott, 1981; cité par Brassard, 1996; voir aussi Homans, 1950). De même, Baker (1981) souligne que les regroupements informels se forment précisément pour combler les besoins socioémotifs des travailleurs, dont l'organisation formelle ne tient pas compte dans sa relation avec ses employés.

Ensuite, qualifier d'informel tout phénomène non prescrit par la gestion — indépendamment de sa nature ou de son niveau conceptuel — génère une certaine confusion quant à la signification même de l'informel. En effet, différents chercheurs l'assimilent à des éléments aussi divers que les relations sociales qui se créent entre les travailleurs (Roethlisberger et Dickson, 1939/1967), un déterminant de la structure sociale de l'organisation (Scott, 1981) ou le fonctionnement réel de l'organisation (Dalton, 1959). Dès lors, si le fait d'être prescrit ou non constitue un critère pertinent à l'identification des phénomènes informels, il ne permet pas de les circonscrire à lui seul.

Dans un autre ordre d'idées, l'informel a souvent été assimilé à la partie cachée, voire clandestine du fonctionnement organisationnel. Moullet, par exemple, conçoit l'informel comme ce qui est caché dans une organisation, soit «les règles du jeu, les codes de conduites, les normes implicites, etc.» (1992, p. 41). Il faut reconnaître que cette position de Moullet est très séduisante à prime abord, ne serait-ce que par la puissance évocatrice du concept de *clandestinité,* lequel sous-tend un univers politique *underground* troublant la rationnalité de la structure formelle (Brassard, 1996).

Par ailleurs, il apparaît encore ici hasardeux d'aborder l'informel sous le seul angle du clandestin, dans la mesure où l'on risque de poser un regard distortionné sur la réalité organisationnelle. En effet, les manifestations du formel dans les organigrammes et les écrits, par leur fixité ainsi que par leur forme aseptisées et dénuées de toute couleur humaine, reflètent souvent très mal — et parfois pas du tout — le fonctionnement réel de l'organisation (*Ibid.*). De plus, la structure et le fonctionnement prescrit par l'organisation recèlent aussi des aspects difficiles à observer et à comprendre, de sorte qu'ils s'en trouvent du coup inaccessibles, cachés. Ainsi en est-il, par exemple, des intentions à la base d'une procédure ou de la signification véritable d'une règle organisationnelle (*Ibid.*).

Bref, les éléments de définition de l'informel présentés jusqu'ici n'apparaissent pas viables, tant par leur caractère nébuleux que par leur aspect incomplet. La signification que l'on accorde à l'informel dépend de notre conception de la réalité organisationnelle. En conséquence, le développement d'une compréhension plus juste de l'informel requiert de repenser nos conceptions de l'organisation. En effet, la plupart des définitions de l'informel s'appuient sur une distinction entre le reconnu et le clandestin, le prescrit et le non-prescrit, le visible et le caché. Or, cette représentation dichotomique de la réalité organisationnelle constitue un vestige des théories classiques de l'organisation auxquelles adhèrent encore vraisemblablement, au-delà de leurs écoles de pensées respectives, la plupart des chercheurs et des théoriciens qui se sont penchés sur la question de l'informel. Cet assentiment général n'est toutefois pas sans conséquence malheureuse. En effet, les conceptions bureaucratiques ou mécanistes de l'organisation proposent une compréhension plutôt limitée, voire réductionniste, de la réalité organisationnelle en définissant l'organisation sur la seule base de la structure formelle. Or, il est un fait reconnu que le fonctionnement organisationnel est rarement conforme au formel et que l'informel y joue un rôle tout aussi déterminant (*Ibid.*). De même, cette représentation dichotomique de la réalité organisationnelle ne permet pas de bien saisir l'écart, et encore moins l'interinfluence, qui se dessine entre les volontés managériales et la réalité effective des travailleurs.

Dès lors, comme le suggère Brassard (1996), il semble plus avisé de comprendre la réalité organisationnelle sur la base du fonctionnement réel de l'organisation, c'est-à-dire comme étant structuré et déterminé par des facteurs formels et informels. Ainsi, le formel peut être compris comme *un* des facteurs qui, avec la technologie et l'environnement, forment la situation organisationnelle et régulent l'ensemble des actions individuelles et des interactions (*Ibid.*).

Comprendre et définir autrement l'informel

La dichotomie formelle-informelle ne constitue vraisemblablement pas la meilleure façon de se représenter la réalité organisationnelle. Par ailleurs, cette lecture des phénomènes organisationnels respecte la compréhension classique de l'organisation encore embrassée par une majorité de gestionnaires. Aussi, il convient de définir ce qui doit être entendu par les notions *part informelle de l'organisation* et *regroupements informels* sur la base de leurs critères nécessaires et suffisants.

D'abord, **la part informelle de l'organisation** peut être définie sur la base de deux critères :

1. des relations interpersonnelles non mandatées par l'autorité formelle ;
2. des relations qui ne sont pas attendues ni requises pour l'atteinte des objectifs économiques de l'organisation.

Si le deuxième critère a été beaucoup moins documenté et exemplifié que le premier jusqu'à présent, il n'en demeure pas moins très important. En effet, les conduites informelles semblent toujours viser l'atteinte d'objectifs individuels, lesquels ne le sont pas habituellement par l'organisation formelle. À cet effet, les tenants de l'approche systémique affirment que la part informelle de l'organisation assume une fonction régulatrice et compensatrice en permettant aux travailleurs de combler leurs besoins relationnels tout comme leurs intérêts au travail. Si les besoins relationnels des travailleurs peuvent prendre des formes variées, tels que de se sentir appréciés et considérés, compris par des gens qui connaissent des difficultés semblables aux leurs, acceptés avec leurs défauts et leurs zones d'incompétence, etc., il en va de même pour leurs intérêts au travail, comme s'adapter et répondre aux exigences de leur environnement, se munir d'informations pour se sentir en contrôle, trouver des alliés pour se défendre en cas d'injustices, etc.

Dès lors, si l'informel obéit davantage à la logique des sentiments et des besoins humains, il est loin de s'opposer *a priori* aux intérêts de l'organisation (Dalton, 1959). Seuls les comportements par lesquels un individu cherche et parvient à combler ses besoins et ses intérêts relèvent souvent de l'informel. Ainsi, les phénomènes informels semblent constituer le lieu d'expression par excellence des dimensions psychologiques en jeu dans le rapport qu'entretiennent les travailleurs avec leur travail et leur organisation.

Synthétisant plusieurs définitions retrouvées dans la documentation scientifique, la définition de l'organisation informelle de Farris satisfait nos deux critères, à savoir : des relations interpersonnelles qui ne sont pas mandatées en vertu des règles de l'organisation formelle, et qui émergent spontanément de manière à satisfaire les besoins des individus, tant socioaffectifs que purement politiques. Farris ajoute que l'adhésion des membres de l'organisation informelle aux objectifs de l'organisation formelle dépend de la congruence de celle-ci avec leurs besoins, illustrant ainsi très bien la fonction compensatrice ou régulatrice de l'informel.

Lorsqu'il est appliqué à des **regroupements informels** en milieu de travail, le mot informel revêt une autre dimension. Un groupe est informel dans la mesure où *sa façon de fonctionner n'est pas régie par des règles explicites, mais dépend essentiellement des intérêts et de la personnalité de ses membres.* En vertu de ce critère, le groupe ne doit pas s'être prescrit lui-même une façon de fonctionner très explicite et élaborée, en se dotant d'une charte écrite, par exemple (Laroche, 1991). Ceci dit, il serait illusoire de penser que le groupe informel ne se munit pas de certaines règles de conduites, ne serait-ce que pour préserver des relations harmonieuses entre les membres. Plutôt implicites, celles-ci seraient toutefois déterminées par la personnalité et les intérêts des membres.

DEUX ÉTUDES PIONNIÈRES

Deux études empiriques ont ouvert la voie, voire rendue impérative, l'étude des relations et des groupes informels en milieu de travail.

L'usine Western Electric de Hawthorne

Les célèbres découvertes, tantôt fortuites, tantôt expérimentales, qui ont eu lieu à l'usine Western Electric de Hawthorne sous la gouverne d'Elton Mayo, et plus tard, sous celle de Roethlisberger et Dickson, ont constitué un point tournant dans la compréhension des organisations (Mayo, 1933 ; voir Roethlisberger et Dickson, 1939/1967). Non seulement ont-elles généré beaucoup de préoccupations chez les gestionnaires et les théoriciens de l'organisation, mais elles ont donné le jour à une conception « humaniste » de l'organisation et, par conséquent, à un intérêt certain pour les relations informelles.

Alors que la recherche d'origine visait tout simplement à apprécier l'effet de l'éclairage sur la productivité des travailleurs, Mayo et son équipe (1933) ont été confrontés à des résultats défiant leur entendement : indépendamment du sens des variations opérées sur les conditions expérimentales, la productivité des groupes expérimentaux allaient toujours en s'accroissant. Plus encore, des variations dans la durée des pauses ou de la journée conduisaient aussi à l'augmentation de la productivité. Or, selon la compréhension de l'époque, seul un environnement physique optimal permettait un rendement optimal. Perplexes, les chercheurs ont attribué ces résultats inattendus aux attitudes et aux préoccupations des travailleurs. On a même émis l'hypothèse que, se sachant observés, les ouvriers entretenaient des attentes positives quant à l'impact des variations sur leur productivité.

Afin de vérifier ces hypothèses, des observations en salle ont été entreprises à la Bank Wiring Room. On a pu alors constater que les 14 employées qui formaient le groupe expérimental se partageaient en deux cliques entourées de quelques personnes isolées. Chaque clique avait un surnom et ses membres entretenaient entre eux des relations privilégiées et souvent exclusives. Chaque clique avait développé une série de normes de conduites très sévères à respecter sous peine de punition ou même d'exclusion. On a remarqué aussi que le membership conférait à ces travailleuses un statut particulier que l'organisation formelle ne leur donnait pas.

En ce qui a trait à la productivité des ouvriers, on a observé — de façon encore plus déconcertante — un phénomène contraire à la première étude. En effet, indépendamment des conditions expérimentales, la productivité des travailleuses diminuait ou, au mieux, demeurait stable. Des entrevues individuelles ont toutefois permis de dégager que les travailleuses appréhendaient une hausse des quotas à la suite des résultats enregistrés par les chercheurs. Ainsi, on a pris connaissance de l'existence d'un taux informel de production établi et maintenu par les travailleuses, et de la présence d'un système de représailles contre des superviseurs et des contrôleurs injustes. Dès lors, Roethlisberger et Dickson (1939/1967) ont conclu que tout ce système social informel visait à protéger les travailleurs, tout comme à les aider à résister aux changements formels. Il semble qu'il n'en fallait pas plus pour que les gestionnaires et les tenants de l'école classique attribuent aux groupes informels des vertus maléfiques.

Les mines de charbon britanniques étudiées par l'Institut Tavistock

L'étude empirique réalisée par l'Institut Tavistock (Trist et Bamforth, 1951) dans des mines de charbon britanniques vers la fin des années 1940 a quant à elle révélé l'irréductibilité des relations informelles et leur impact sur l'efficacité de l'organisation.

Afin de fournir en énergie une Europe dévastée par la Seconde Guerre mondiale, des mines de charbon britanniques ont été appelées à mécaniser l'extraction de leur charbon selon la méthode du «long front» et à démanteler, par le fait même, les petits groupes de travailleurs qui assuraient auparavant la production de façon autonome. Toutefois, cette manœuvre n'a pas eu les effets escomptés, dans la mesure où la production enregistrée a connu une chute dramatique.

Les chercheurs ayant participé à l'instauration de ces nouvelles méthodes de travail ont été frappés de voir que de nouveaux groupes informels se formaient entre les mineurs et ce, même s'ils n'avaient plus de raison d'être sur le plan de la production. Trist et Bamforth (1951) ont vu dans ces groupes la manifestation d'une défense contre l'aliénation à laquelle les travailleurs étaient désormais soumis dans le cadre de leurs nouvelles tâches. Selon eux, l'émergence de ces nouveaux groupes révélait un besoin humain fondamental de s'intégrer à une structure sociale. De même, la baisse de productivité semblait indiquer que l'intégration sociale était étroitement liée à l'efficacité de l'entreprise.

QUATRE ÉCOLES DE PENSÉE

Dans ce qui suit, nous allons présenter les différentes écoles de pensée qui ont influencé la conception contemporaine des groupes informels.

L'école classique des organisations

Nées au début du xxᵉ siècle, les théories classiques de l'organisation ont été les premières à faire mention des phénomènes informels. En effet, Taylor et Fayol ont observé l'existence de regroupements informels au sein des organisations, des phénomènes qu'ils avaient alors identifiés comme étant des processus d'influence néfastes (Muti, 1968).

Concevant l'organisation comme une gigantesque machine dont les rouages, humains ou matériels, doivent être scientifiquement orchestrés afin d'atteindre un rendement optimal, Taylor, Weber et Fayol voyaient dans tout imprévu et tout changement une menace au bon fonctionnement de l'entreprise. Soupçonnés de court-circuiter les relations hiérarchiques et de contourner les règles formelles, les groupes informels n'ont donc pas manqué de s'attirer leurs foudres. En fait, les pères fondateurs de cette école de pensée leur ont vite attribué une influence délétère, voyant en eux des excroissances névralgiques à garder à l'œil, voire à éliminer.

En effet, Taylor préconisait l'élimination de ces sources potentielles de résistance à la rationalisation de la production par différents moyens :

modulation de la teneur même des tâches, distanciation ou séparation entre les postes de travail, non-disponibilité de lieux de rencontre, autorisations limitées de parler ou de se déplacer (Bramel et Friend, 1967).

C'est donc un regard méfiant que les tenants de l'école classique ont posé sur le groupe informel, de même que sur l'ensemble des manifestations informelles. Mais la conception des phénomènes informels ne se borne pas à celle de l'école classique. Au contraire, elle s'est développée, modifiée, contredite ou accordée en fonction des principaux courants ou écoles de pensée qui se sont intéressés au milieu organisationnel.

L'école des relations humaines

Fondée sur les constats de l'usine Western Electric de Hawthorne, l'école des relations humaines jette un éclairage nouveau sur la gestion et la compréhension de l'organisation, privilégiant par le fait même une vision différente de l'informel.

Ainsi, cette conception de l'organisation soutient que les ressources humaines ne peuvent être traitées au même titre que les ressources matérielles : on doit susciter leur coopération et ce, grâce à des moyens qui ne relèvent pas exclusivement du domaine pécuniaire. En ce sens, l'école des relations humaines conçoit que la différence entre la sphère formelle et la sphère informelle repose sur la nature des intérêts qui s'y trouvent comblés. La première répond à la logique du coût et de l'efficacité de l'entreprise, alors que la seconde répond à la logique des sentiments et des besoins humains des membres qui la composent (Roethlisberger et Dickson, 1939/1967).

En ce sens, Roethlisberger et Dickson (1939/1967 ; cité par Brassard, 1996) conçoivent l'informel comme une réaction adaptative des employés qui éprouvent de l'insatisfaction par rapport à l'organisation formelle. Ainsi, les tenants de cette école soulignent la fonction régulatrice, voire compensatrice, des voies informelles pour répondre aux besoins et intérêts individuels qui se trouvent négligés au sein de l'organisation.

Postulant qu'un travailleur heureux est davantage en mesure de livrer un bon rendement, les tenants de cette école reconnaissent l'importance de faire des groupes informels des alliés de l'organisation formelle, dans la mesure où leur apparition est jugée inévitable et où leur influence, si elle est non contrôlée, peut s'exprimer en termes de résistance à la direction (Hussein, 1989 ; Jacques, 1979a ; Maillet, 1988 ; Strapoli, 1975).

Une des limites les plus importantes de la compréhension que ces chercheurs ont de l'informel réside toutefois dans l'adoption d'une vision toujours assez classique de l'organisation selon laquelle la structure formelle génère un fonctionnement qui lui est relativement conforme.

L'école politique

Pour cette école de pensée, l'organisation constitue une arène politique dans laquelle chaque protagoniste cherche à faire prévaloir ses intérêts sur la base de moyens, considérés légitimes ou non par l'organisation formelle. Dans cette optique, le groupe informel est plus qu'une simple réaction à l'organisation et semble au service de stratégies délibérées et légitimes pour obtenir du pouvoir (Dalton, 1959 ; Durand, 1991). D'ailleurs, cette thèse va de soi si l'on considère que l'émergence des premiers regroupements informels constituait une réponse au pouvoir aliénant de la classe dirigeante.

Dalton est un digne représentant de cette approche. À travers l'analyse des difficultés stratégiques éprouvées par les gestionnaires de grandes entreprises américaines, Dalton observe un écart problématique entre les façons officielles et non officielles de faire les choses, tant et si bien qu'elles semblent constituer deux facettes d'une même médaille. En effet, si le formel réside dans ce qui est planifié et ce sur quoi on s'entend, l'informel incarne des liens souples et spontanés, guidés par les sentiments et les intérêts personnels, qui apparaissent indispensables au fonctionnement du formel tout en étant trop fluides pour être contenus dans celui-ci (Dalton, 1959 ; cité par Brassard, 1996). Bref, Dalton croit que l'informel, loin d'être nuisible, détermine pour beaucoup le fonctionnement réel de l'organisation et présente souvent de meilleures façons de la servir (Brassard, 1996). D'autre part, son enquête lui a permis de découvrir l'existence de cliques jouant un rôle important dans la dynamique de pouvoir de leur organisation, qu'il a décrit selon la configuration des statuts hiérarchiques des membres, soit sur une base horizontale, verticale ou aléatoire.

L'approche politique présente les regroupements informels comme des unités ayant la capacité de provoquer des changements à différents niveaux de l'organisation (Cobb, 1986; Stevenson *et al.*, 1985; Summers, 1986), et ayant comme principale fonction de défendre les intérêts de leurs membres. Pfeffer et Salancik (1978) vont même jusqu'à ajouter que les regroupements informels participent délibérément à la conduite de l'organisation ou de ses unités en faisant la promotion ou en défendant les intérêts de ses membres par des processus d'imposition, de négociation et de collaboration. Dans cette perspective, le groupe informel fait figure d'instrument d'acquisition et de sauvegarde du pouvoir (Savoie, 1993).

Un apport important de cette approche réside dans l'absence de jugement de valeur entourant les comportements de pouvoir pouvant être déployés par les membres de regroupements informels. De même, elle présente une vision beaucoup moins déterministe du travailleur dans l'organisation, lequel apparaît proactif plutôt que simplement en réaction à son environnement. Par ailleurs, les tenants de cette approche ont étudié les relations informelles et les regroupements informels exclusivement sous l'angle du pouvoir et de l'influence. En effet, si ces auteurs ont légué d'importantes réflexions sur les coalitions, tant formelles qu'informelles, leurs résultats doivent être interprétés avec prudence, étant donné qu'il existe d'autres types de groupes informels qui présentent d'autres vertus. En fait, comme nous le verrons dans le chapitre 5, les données empiriques de notre équipe ne permettent pas de croire que le groupe informel constitue un moyen d'action politique pour ses membres.

L'école systémique

Délaissant quelque peu les effets ou les tentatives d'explication du phénomène informel, l'approche systémique se penche plutôt sur les relations informelles et les groupes informels tels qu'ils se manifestent à l'intérieur de l'organisation formelle.

Dans cette approche, l'organisation est conceptualisée tel un vaste système incluant un ensemble de sous-systèmes interdépendants qui s'imbriquent les uns dans les autres. Ainsi, la théorie des systèmes tient compte, dans sa compréhension du comportement organisationnel, des sous-systèmes qu'incarnent «l'individu, les groupes informels, l'organisation formelle, le contexte ou l'environnement physique, culturel, social et économique» (Maillet, 1988). Partie intégrante de l'organisation, chacun de ces sous-systèmes organisationnels entretient des relations empreintes d'interdépendance et de déterminisme réciproque.

À cet égard, l'étude empirique réalisée par l'Institut Tavistock à la fin des années 1940 révèle bien l'irréductibilité des phénomènes informels et l'interdépendance qui se dessine entre l'organisation formelle et informelle. Les groupes informels, par exemple, voient leur nature et leurs fonctions façonnées par l'organisation, tout comme ceux-ci peuvent influencer ou changer ce système plus vaste qui leur a donné naissance (Homans, 1950; cité par Wilson, 1978). Plusieurs chercheurs de l'approche systémique croient d'ailleurs que les groupes informels ont un rôle crucial à jouer au sein des organisations (Shaw, 1981; cité par Maillet, 1988; Katz et Kahn, cités par Levy-Leboyer, 1974).

Véritable excroissance de l'école des relations humaines, l'approche systémique concède elle aussi aux regroupements informels des effets tant positifs que négatifs pour l'organisation. Ici encore, leurs principales fonctions semblent résider dans la satisfaction des besoins que l'organisation formelle ne peut combler. Toutefois, à la différence des autres conceptions de l'organisation, l'approche systémique conçoit le groupe informel comme un sous-système au même titre que les entités formelles. Il n'apparaît plus comme un point de rupture dans la mécanique organisationnelle, mais comme une dimension bien réelle et intégrée du système que constitue l'organisation.

*

* *

Reflétant d'abord et avant tout les valeurs et les préjugés épistémologiques de leurs défenseurs, ces quatre conceptions de l'organisation sont toutes parcellaires et incomplètes l'une sans l'autre. En fait, elles reposent toutes sur une compréhension bien précise de l'efficacité et des visées organisationnelles. Par ailleurs, l'approche systémique présente l'avantage de ne pas considérer le groupe informel ou l'organisation comme des systèmes fermés, ce qui s'avère essentiel à la compréhension de notre objet d'étude qui repose précisément sur l'interdépendance qui se crée entre le formel et l'informel, l'organisation et le groupe informel, le groupe et ses membres.

Enfin, qu'on le conçoive comme une dysfonction à éliminer, une énergie à canaliser ou un élément dynamique doté de ses propres visées, le groupe informel est une réalité incontournable ; son étendue représentant les deux tiers des acteurs organisationnels (Brunet, Savoie et Rousson, 1998).

RÉSUMÉ

> La structure formelle réfère à l'ensemble des relations qui existent entre les unités organisationnelles ou les membres d'une organisation. Ces relations sont prescrites et officialisées.

> À toute structure formelle se greffe une structure informelle.

> L'organisation informelle résulte de la formation de liens qui se constituent infailliblement dans tout système social.

> La structure informelle est plus structurée que l'on ne pourrait le croire de prime abord ; elle peut faciliter la communication entre les membres, susciter la confiance et corriger les insuffisances du système formel.

> Les conduites informelles semblent toujours viser l'atteinte d'objectifs individuels, lesquels ne sont habituellement pas comblés par l'organisation formelle.

> Un groupe est informel dans la mesure où sa façon de fonctionner n'est pas régie par des règles explicites, mais dépend essentiellement des intérêts et de la personnalité de ses membres.

➢ Au plan empirique, l'histoire nous apprend que Roethlisberger et Dickson (1939/1967) avaient été stupéfaits d'observer que l'influence de leurs interventions en ce qui a trait aux conditions de travail sur la productivité était systématiquement modulé à la hausse (dans une première étude) ou à la baisse (dans une deuxième étude) par un taux informel de production et un code de discipline très sévère que les ouvrières avaient établies entre elles. Il a aussi été établi que ces travailleuses avaient développé un système de représailles contre la direction. Des chercheurs ont alors attribué ces conduites à l'appartenance au groupe informel dont les normes permettraient aux membres de se protéger et de résister aux changements souhaités par la direction.

➢ L'école classique de l'organisation attribuait un effet néfaste aux groupes informels.

➢ L'école des relations humaines conçoit que la différence entre la sphère formelle et la sphère informelle repose sur la nature des intérêts qui s'y trouvent comblés et qu'il faut faire des groupes informels des alliés de l'organisation.

➢ L'école politique des organisations considère les regroupements informels comme une forme délibérée et légitime pour obtenir du pouvoir.

➢ L'école systémique des organisations conçoit le groupe informel comme un sous-système au même titre que les entités formelles.

2

DÉFINITION ET NATURE DU GROUPE INFORMEL

Objectifs du chapitre

Ce chapitre vise à définir la nature des groupes non officiels dans les organisations à partir des réflexions et des recherches effectuées sur les groupes en général, sur les groupes restreints en particulier et sur l'approche des systèmes. Ensuite, seront discutées les caractéristiques structurelles des groupes informels et les facteurs d'émergence en regard de l'environnement de travail et des besoins des acteurs organisationnels.

LA RÉALITÉ GROUPALE : UN DÉBAT ÉPISTÉMOLOGIQUE

Lors de l'inventaire et de l'analyse de la documentation scientifique sur les groupes informels, un des points les plus épineux auxquels nous avons été confrontés fut le manque de consensus sur la définition du groupe informel. En effet, à l'intérieur même de certains courants de pensée, comme l'école des relations humaines ou l'approche politique des organisations, les termes groupes de travail, cliques, groupes informels, coalitions, coalition dominante, clan, etc., se côtoient fréquemment de façon indifférenciée. De plus, l'apport de disciplines diverses, bien que précieux, contribue à entretenir cette confusion : la pléthore de définitions générées étant rarement compatibles tant elles placent l'accent sur des aspects différents (Shaw, 1981) en fonction des groupes étudiés (Wilson, 1978).

Bien qu'elle puisse apparaître rébarbative à certains, la définition de notre objet d'étude constitue une étape essentielle à toute démarche scientifique rigoureuse visant l'intégration des résultats de recherche et l'édification de connaissances plutôt que de leur simple accumulation. Aussi, aux praticiens que rebute le caractère abstrait des définitions théoriques, citons simplement l'affirmation de Lewin selon laquelle «rien n'est plus pratique qu'une bonne théorie» (St-Arnaud, 1989). Plus encore, nous espérons que le tour d'horizon des théories qui inspirent notre lecture des groupes informels permettra au lecteur de saisir toute la signification de nos découvertes empiriques, tout comme de reconnaître leurs limites.

Afin de bien saisir les caractéristiques du groupe informel, nous devrons clarifier en premier lieu le concept de groupe. En fait, s'il existe une multiplicité de définitions rattachées aux regroupements informels, il en va de même pour la notion de groupe (Laroche, 1991; Shaw, 1981; Wilson, 1978).

Il importe en premier lieu de souligner que le concept de groupe soulève un débat épistémologique quant à son existence même, à savoir s'il doit être considéré comme un objet d'étude différent de la somme de ses parties ou comme une simple juxtaposition d'individus. Ce questionnement ne saurait être plus à-propos dans la définition des groupes informels tant le caractère flou et fuyant de ses frontières rend difficile la délimitation de son effectif.

Pour certains auteurs, dont Allport (1924; cité dans Shaw, 1981), le groupe ne serait qu'une abstraction théorique utile pour rendre compte de comportements individuels collectifs. Ce qu'on appelle un groupe serait alors un ensemble de valeurs, d'idées et d'habitudes existant simultanément dans l'esprit de plusieurs individus. Seuls les individus seraient réels, les groupes n'existeraient que dans l'esprit des hommes. À l'opposé, certains théoriciens, tels Durkheim et Warrimer (Durkheim, 1896; Warrimer, 1956; voir Shaw, 1981; Wilson, 1978), voient le groupe comme une entité aussi réelle qu'un objet matériel. En soutenant cette position, il devient impossible, voire non pertinent, d'expliquer les phénomènes de groupe en considérant la psychologie individuelle de ses membres. De la même manière, St-Arnaud (1989) aborde le groupe restreint comme une réalité psychosociale autonome, un organisme qui naît, croît, atteint sa maturité et meurt. Ainsi, selon cette perspective, l'unité d'analyse doit être le groupe si l'on veut en expliquer les processus.

Entre ces deux positions extrêmes, il existe une position plus modérée selon laquelle le niveau de réalité du groupe est un continuum. C'est la position adoptée par Campbell (1958; voir Shaw, 1981). Ce dernier exprime la variation de la réalité d'un groupe en fonction de son degré *d'entativité*, soit le degré avec lequel cet objet est perçu comme ayant une existence réelle. Ainsi, le groupe existe dans la mesure où il sera perçu comme formant un tout. Plus cette perception sera nette, plus le groupe sera considéré réel et distinct. Dans le même sens, Wilson (1978) estime que la conscience des membres se distribue sur un continuum : à un extrême, les observateurs voient des individus groupés mais sans liens particuliers entre eux et à l'autre, ils perçoivent un groupe pour lequel il est aisé de distinguer les membres des nonmembres. Selon lui, il serait inopportun de statuer qu'un rassemblement d'individus constitue un groupe ou non, la véritable question étant plutôt de savoir à quel point il constitue un groupe.

Enfin, le *paradigme interprétatif* en épistémologie (Lessard-Hébert *et al.*, 1990) propose que le groupe soit considéré comme un objet bien réel, dans la mesure où il constitue un construit social à l'esprit des acteurs en cause (ex. : des amis qui sont tous conscients de former ensemble un groupe) et qui peut s'observer à travers leurs comportements (ex. : les membres se rencontrent et adoptent des conduites semblables). À l'instar de Miles et Huberman (1984), le groupe est ainsi conceptualisé d'après ses manifestations et sa signification.

Dès lors, l'admission d'un continuum s'avère à nos yeux une façon viable de concevoir l'existence *relative* des groupes informels. En effet, le groupe informel étant de nature non prescrite et plus spontanée que le groupe de travail formel, sa perception et la délimitation de ses frontières ne sont pas toujours évidentes pour l'observateur externe. Par ailleurs, la signification qu'il prend pour ses membres n'en demeure pas moins tangible, tout comme les comportements de ceux-ci n'en sont pas moins observables. Ainsi, l'existence du groupe informel semble devoir être établie sur la base des perceptions individuelles des membres, dont la position privilégiée permet de reconnaître une signification au système de relations interpersonnelles qu'ils observent (Lortie, 1991).

LES GROUPES INFORMELS : GROUPES RESTREINTS DANS L'ORGANISATION

Nous allons maintenant présenter les traits qui caractérisent les groupes informels dans une organisation en tant que groupe restreint, c'est-à-dire, une structure sociale au sein de laquelle des êtres humains se retrouvent afin de répondre à certains besoins de la vie en milieu organisationnel.

Dynamique et caractéristiques essentielles des groupes restreints

Mise de l'avant par Kurt Lewin au début des années 1930, la dynamique des groupes restreints constitue un champ de recherche qui s'intéresse au fonctionnement interne, de même qu'à l'efficacité des petits groupes. Très prolifique, ce champ d'étude regorge de contributions significatives dans la compréhension des groupes restreints, tant par leurs développements théoriques que par leurs observations empiriques. Toutefois, par rapport à notre sujet de recherche, sa principale lacune est d'avoir négligé de situer le groupe dans son contexte organisationnel et de ne pas s'être attardé au caractère informel du groupe. Jacques (1979a) et Maillet (1988), par exemple, considèrent que le groupe informel est semblable aux autres groupes, à part sa structure interne, plus souple que celle de ces dernières.

Quoi qu'il en soit, le groupe informel semble revêtir la majorité, sinon la totalité, des caractéristiques d'un groupe restreint. Dès lors, ces travaux présentent un attrait particulier dans la définition et l'énoncé des caractères essentiels du groupe informel. De toutes les définitions qu'il nous a été donné d'étudier, c'est celle de Richard (1996) qui nous semble capter avec le plus d'économie les particularités dynamiques propres au groupe restreint :

> Trois personnes ou plus qui s'organisent en groupe, lorsqu'elles éprouvent le besoin d'entrer directement en interaction les unes avec les autres en vue de poursuivre de façon interdépendante certains objectifs. Le groupe devient ainsi un champ de forces qui se structure constamment en fonction des besoins des membres et des buts poursuivis dans chaque situation (p. 11).

Les caractéristiques permettant de distinguer les groupes restreints des autres types de rassemblements de personnes sont :

1. La présence d'interactions psychologiques directes entre les membres. Ceci constitue la propriété la plus fondamentale du groupe restreint. De façon plus large, tous les auteurs en dynamique des groupes restreints conçoivent les relations qui s'établissent entre les membres comme essentielles à la naissance d'un groupe (St-Arnaud, 1989). D'abord, les interactions sont directes entre les membres, en ce sens qu'il est possible pour chacun d'entrer en communication avec un autre membre et avec tout le groupe directement, sans intermédiaire (Richard, 1996 ; St-Arnaud, 1989). Les membres demeurent dans le champ de perception de chacun ; chacun peut donc agir sur l'ensemble et percevoir les réactions de l'ensemble à ses interventions. Dans la mesure où un minimum d'interactions est requis entre chacun des membres, la taille du groupe peut difficilement excéder 15 à 20 personnes. De plus, les interactions ne sont pas restreintes au seul aspect verbal. Le regard, le sourire et l'attitude corporelle en général confèrent une signification socioémotive aux messages verbaux ou non verbaux que se communiquent les membres, produisant toujours un effet socioémotif sur eux (Richard, 1996). Ainsi, des échanges relationnels se lient toujours aux interactions des membres.

2. L'interdépendance des membres par rapport à une cible commune. Si des travailleurs voient un avantage à former un groupe, celui-ci doit nécessairement avoir une raison d'être, une finalité (Gurvitch, 1968 ;

Jacques, 1979a; Kreitner et Kinicki, 1989; St-Arnaud, 1978; Wilson, 1978). En ce sens, un groupe ne constitue jamais une fin en soi. En effet, même lorsque sa formation est attribuable à l'attraction inter-personnelle, le groupe comble d'emblée des besoins relationnels chez ses membres, que ce soit un besoin d'amitié, de soutien psycholo-gique, de reconnaissance, etc. En fait, s'il fallait désigner un seul concept qui puisse rendre compte de la dynamique particulière du groupe restreint, ce serait l'*interdépendance des membres dans la pour-suite d'objectifs communs*. Véritable pierre angulaire des processus dynamiques qui émergent dans le groupe, l'interdépendance des membres semble en résumer l'essence même (Lewin 1957; Cartwright et Zander, 1968; Wilson, 1978; Shaw, 1981). Cartwright et Zander (1968) définissent d'ailleurs un groupe sur la seule base de l'interdépendance des membres, soucieux d'éviter ainsi l'énumération des différents élé-ments structurels qui en découlent (ex. : les interactions entre les membres, les normes, les rôles, etc.) (Wilson, 1978). Bien que l'on fasse souvent mention d'*une finalité commune,* les buts poursuivis par les membres s'avèrent souvent multiples et inconsistants, de sorte qu'elle est souvent plus virtuelle, voire illusoire, que réelle (Briand, 1995; Shaw, 1981). Dès lors, il importe surtout que les membres aient l'*impression* de poursuivre une même cible (St-Arnaud, 1989) pour qu'ils se sentent interdépendants et se mobilisent tant individuellement que comme groupe dans sa quête. Convergeant à un plus ou moins haut degré, les objectifs poursuivis par un groupe émanent toutefois inévitable-ment du besoin des membres de s'adapter à leur environnement (Wilson, 1978; Richard, 1996).

De plus, si les objectifs d'un groupe sont parfois évidents, comme dans le cas d'une équipe de travail qui doit produire une centaine de pièces de vêtement par jour, les personnes qui constituent un groupe sont habituellement réunies autour de cibles qui n'ont pas le caractère concret d'une production matérielle. Dès lors, le groupe est très sou-vent appelé à *définir et à redéfinir* les buts communs que poursuivent ses membres (St-Arnaud, 1989). Enfin, l'interdépendance des membres dans la poursuite et l'atteinte d'objectifs communs s'observe tant dans la réussite d'une tâche que dans le développement de relations inter-personnelles valables au sein du groupe (Wilson, 1978 ; Richard, 1996). Ainsi, l'interdépendance des membres peut se situer tant au plan rela-tionnel, lorsque les membres s'épaulent et se soutiennent par exemple, qu'au plan instrumental, lorsqu'ils doivent s'unir pour atteindre conjointement certains buts.

3. Une totalité dynamique en constante structuration. Alors que la majorité des chercheurs œuvrant dans le champ des groupes res-treints ont amplement documenté les relations des membres et la nécessité d'une finalité commune (réelle ou perçue), ils n'accordent pas la même importance au processus autonome de structuration des relations qui se développent entre les membres. Or, c'est préci-sément à cette structuration des conduites individuelles qu'on peut attribuer la différenciation progressive du groupe comme entité psy-chosociale distincte de son environnement.

Compte tenu de la dépendance mutuelle des membres et de la relative vulnérabilité dans laquelle celle-ci les place, le groupe se dote naturellement de mécanismes normatifs qui coordonnent et dres-sent des limites aux actions individuelles. Dès lors, les membres du groupe doivent accepter de poser des restrictions à leur façon d'agir et d'interagir (Wilson, 1978). Ainsi, les interactions qui se créent entre les membres d'un groupe ne se font pas dans le désordre ; elles ont tendance à se structurer et, de fait, elles se structurent et s'organi-sent en fonction des objectifs et des besoins actuels des membres, de même qu'en fonction des normes qu'impose le groupe (Richard, 1996). Au fil du temps, le groupe fait donc figure d'un tout struc-turé, plus ou moins cohérent, qui se transforme continuellement selon les exigences de l'environnement.

D'autre part, l'idée que le groupe constitue une entité réelle, un tout doté de sa propre dynamique qui dépasse la somme de ses parties est non seulement importante, mais absolument essentielle (Richard, 1996). Cette dimension apparaît d'ailleurs commune à l'en-semble des auteurs à travers divers vocables et appellations. Ainsi, pour certains, le tout forme un «système» (Homans, 1950); St-Arnaud (1989) y voit un «champ psychologique qualitativement différent de la réalité psychologique des membres»; Sayles (1963) exprime cette notion d'entité comme «une organisation à l'intérieur d'une organisation», etc.

En expliquant l'importance de se référer à la notion de champ psychologique, St-Arnaud aide à saisir en quoi le groupe est différent de la somme de ses éléments. Selon lui, le groupe n'est pas différent de ses éléments dans le sens qu'il s'y trouve quelque chose de plus, une caractéristique nouvelle qui consiste à «être ensemble»; il se distingue plutôt par la dynamique de cet ensemble, lequel acquiert des propriétés différentes de celles des parties, de la même façon que la molécule d'eau a des propriétés différentes des propriétés respectives de l'hydrogène et de l'oxygène. Voilà d'ailleurs pourquoi les personnes qui constituent le groupe doivent être considérées dans une perspective psychosociale (et non psychologique) *en tant que membres*. Nous nous emploierons à décrire cette troisième propriété distinctive des groupes restreints de façon plus extensive au chapitre suivant, étant donné qu'elle limite, structure et coordonne les comportements individuels des membres et qu'elle est issue des processus dynamiques qui existent dans le groupe informel.

Le groupe informel : un sous-système organisationnel

Le groupe informel étant défini dans son rapport à l'organisation formelle, l'approche systémique apparaît toute désignée pour en développer une compréhension qui soit juste et utile sur le plan conceptuel (Homans, 1950; Jacques, 1979b; Wilson, 1978). D'abord, le fait de concevoir le groupe informel comme un système permet de tenir compte de sa relation avec son environnement, plutôt que de feindre que ses dynamiques interne et externe se développent en vase clos. Plus encore, cette approche permet d'éviter le piège des descriptions trop statiques, tout comme d'intégrer la dimension développementale du groupe. Homans (1950), un des pères fondateurs de cette approche, a élaboré une théorie

systémique en cherchant à comprendre l'émergence et le fonctionnement des groupes informels de l'usine Western Electric de Hawthorne.
Selon lui, les comportements adoptés par les membres d'un groupe informel peuvent être compris à la lumière de la structure interne qui y émerge
tant en continuité qu'en réaction à l'environnement organisationnel. Le
système structuré que constitue le groupe informel serait ainsi partie
intégrante de l'organisation, de sorte qu'il pourrait l'influencer et même
la changer. Un système existe à partir du moment où l'ensemble de ses
éléments sont interdépendants et sont coordonnés pour atteindre un
objectif (Bertalanffy, 1968; cité dans Wilson, 1978; Rogers et Kincaid,
1981). Un système comprend plusieurs éléments structuraux : un environnement, des *intrants* «input», des *extrants* «output», des sous-systèmes,
des mécanismes de contrôle et des frontières. Le système a pour finalité
de transformer les *intrants* en *extrants*. Véritable système social, le groupe
informel se situe à l'intérieur d'un *environnement* organisationnel. Formé
sur une base volontaire, il répond vraisemblablement à certains besoins
ou intérêts de ses membres (*intrants*) qui ne sauraient être comblés autrement. Ces besoins peuvent prendre plusieurs formes : être aimé, être
reconnu, pouvoir compter sur l'appui d'autrui, pouvoir s'affirmer, etc.
Dans la mesure où le groupe informel ne possède pas de buts explicites,
comparativement aux équipes de travail par exemple, il n'est pas rare
que les membres ne soient pas du tout conscients de l'objectif de leur
groupe (Jacques, 1979a) ou des raisons pour lesquelles ils en font partie
(Laroche, 1991). Quoi qu'il en soit, la satisfaction de ces besoins ou intérêts constituent le principal *extrant* du groupe. En comblant les besoins
des membres, le groupe semble constituer un dispositif de gestion des
intérêts individuels au travail (Laroche, 1991).

Dès lors, on peut comprendre que le groupe informel puisse exercer
une certaine influence sur ses membres (Laroche, 1991). En effet, les
besoins ou intérêts des membres s'expriment par des attentes mutuelles
qui vont structurer et organiser leurs relations de façon à permettre
leur atteinte. Ainsi, les mécanismes d'influence existant à l'intérieur
d'un groupe semblent intimement liés à sa capacité de satisfaire les
besoins et les intérêts des membres (Farris, 1979).

TYPOLOGIE ET FONCTIONS DES REGROUPEMENTS INFORMELS

La documentation scientifique regorge de spéculations et d'observations anecdotiques sur les visées politiques et les relations qu'entretiennent les groupes informels avec leur organisation. La confusion qui existe entre les différents types de regroupements informels en est une cause probante. Dès lors, plusieurs auteurs se sont attardés à développer des typologies permettant de classifier les différentes formes de regroupements informels. Tenant compte des fonctions remplies par le groupe et de la relation avec l'organisation, sept typologies sont présentées dans cette section de façon à bien situer le type de regroupements informels qui a fait l'objet de nos investigations. Les cinq premières se regroupent généralement sous les appellations de cliques ou de claques, alors que les deux dernières ont plutôt été identifiées comme des coalitions.

Des cliques aux claques

Les regroupements informels en milieu de travail peuvent être réunis sous différentes typologies selon les objectifs poursuivis par leurs membres. Dans ce qui suit, nous allons présenter les différentes typologies de groupes informels généralement relevées.

La typologie de Dalton

L'une des premières typologies des regroupements informels en milieu de travail à avoir été esquissée est celle de Dalton dans son célèbre ouvrage *Men Who Manage* (1959). Cette typologie se fonde sur la distribution hiérarchique des membres du groupe dans l'organisation, la réciprocité des relations entre eux et la relation du groupe avec l'organisation. Les *cliques verticales* comportant des membres de niveaux hiérarchiques différents incluant les rapports supérieurs-subordonnés sont de deux types. Elles sont dites *symbiotiques* si les membres, tant subordonnés que supérieurs, en retirent des avantages, soient respectivement une protection ou des faveurs et des informations ; elles sont dites *parasitaires* si le subordonné est le seul à bénéficier de la relation en raison de liens d'amitié ou de parenté avec le supérieur. Comptant des membres qui appartiennent tous à un même niveau hiérarchique, les *cliques horizontales* sont de deux types : soit *défensifs* lorsque les membres se regroupent pour se protéger, et *offensifs* lorsque les membres cherchent plutôt à provoquer un changement. Enfin, la *clique aléatoire*, indifférenciée au plan hiérarchique, repose davantage sur des liens d'amitié, de sorte que les membres n'en retirent pas d'avantages personnels au travail. D'après Dalton, les fonctions des groupes informels sont donc partagées selon leur apport social (amitié) ou leur apport instrumental et politique (protection, information, avancement).

La typologie de Hicks

Hicks (1972 ; cité par Jacques, 1979a) distingue les *groupes primaires*, dans lesquels les relations d'amitié prédominent, des *groupes secondaires*, où ce sont des relations plus instrumentales ou contractuelles qui priment. À l'instar de Dalton, Hicks voit les fonctions du groupe se résumer à des apports sociaux ou instrumentaux et politiques.

La typologie de Sayles

Bien que la typologie de Sayles ne porte pas précisément sur les groupes informels, deux de ses catégories apparaissent dignes d'intérêt pour leur compréhension. D'abord, les *cliques d'amis* sont orientées sur la fonction sociale : elles répondent au besoin d'appartenance et apportent un certain réconfort. Ce type de groupe n'a que peu d'incidence sur la vie organisationnelle. À l'inverse, les *groupes d'intérêt* existent afin d'exploiter les avantages de l'organisation et visent à améliorer le sort de leurs membres. Ce type de groupe est susceptible d'exercer des changements dans l'organisation. Donc, Sayles conçoit lui aussi une double fonction remplie par les cliques, dans les sphères socioémotives, d'une part, et instrumentales et/ou politiques, d'autre part.

La typologie de Tichy

Tichy (1973) a développé sa typologie en stipulant que la structure et la raison d'être des cliques informelles en milieu organisationnel sont déterminées, en partie du moins, par la mobilité, les mécanismes de contrôle et la taille de l'organisation. Cinq types de groupes émergeraient du croisement de ces variables.

La *clique coercitive* se retrouve à l'intérieur des systèmes coercitifs. Les membres sont fréquemment en conflit ouvert avec l'organisation et développent des normes allant à l'encontre du bon fonctionnement organisationnel. L'appartenance à ces groupes a pour fonction de protéger les membres, d'acquérir un certain pouvoir et de faire face à un environnement hostile.

La *clique normative* émerge dans une organisation où les mécanismes de contrôle sont orientés sur les récompenses symboliques, telles les universités et les associations professionnelles. Puisque les membres peuvent trouver réponse à leurs besoins à l'intérieur du cadre formel du travail, ce type de clique serait peu distinct du groupe de travail formel, puisque les deux entités peuvent répondre aussi bien aux besoins instrumentaux qu'aux besoins d'affiliation.

La *clique utilitaire à haute mobilité* se retrouve dans les organisations dont le système de promotion est basé sur le rendement. Les relations que les membres développent sont essentiellement instrumentales et significatives pour l'avancement de leurs carrières respectives.

La *clique utilitaire d'ancienneté* se retrouve quant à elle davantage dans les organisations dont le système de promotion est basé sur les années de service. L'obligation d'utiliser des relations instrumentales est moins évidente, les besoins d'amitié et d'affiliation sont alors plus susceptibles d'émerger.

Enfin, la *clique utilitaire sans mobilité* apparaît dans les organisations n'offrant aucune possibilité d'avancement. La clique est essentiellement orientée sur les liens d'amitié entre ses membres ; la récompense ne pouvant être exprimée ni symboliquement ni par le biais d'une promotion, elle relève alors de la sphère socioaffective. Les membres occupent un même statut et, contrairement aux *cliques normatives*, ce type de clique ne se fond pas avec le groupe de travail formel.

Bien qu'elle ne soit pas la plus utile à la compréhension des groupes informels qui nous intéresse, cette typologie a le mérite d'être la seule à tenir compte de l'influence des facteurs environnementaux sur leur émergence et leur nature.

La typologie de Polsky

Polsky (1978) présente une typologie des groupes informels intégratrice et différenciée en fonction des organisations privées ou publiques (voir tableau 1). Selon cet auteur, il pourrait exister jusqu'à six types de groupes informels en milieu de travail. Ces groupes pourraient être répartis en deux catégories, les conformistes et les dissidents et leur importance varierait selon le type d'organisation visée. Ainsi, les groupes conformistes sont les suivants :

- Les claques : C'est un regroupement d'individus fortement en accord avec les objectifs de l'organisation et qui gravitent autour d'une direction quelconque. Ces individus servent de support à ce chef qui, pour être efficace, doit à tout prix s'assurer de former autour de lui une « claque ». Il faut aussi mentionner que Peters et Watterman (1984), dans leur célèbre livre *Le prix de l'excellence*, mentionnaient que dans les organisations efficaces les chefs savent s'entourer de gens qui les supportent et les protègent. Ces gens servent de rempart en cas d'attaque contre la direction.

- Les fonctionnaires : C'est un regroupement d'employés qui considèrent que leur emploi est un mal nécessaire et que l'important, c'est de ne pas susciter de problèmes.

- Les loyalistes : C'est un regroupement d'employés en accord avec le système actuel. Ces personnes se démarquent peu et ne croient pas au changement.

Les groupes dissidents comprennent les regroupements suivants :

- Les cliques : C'est un regroupement d'employés qui se sont mentalement retirés de leur organisation parce qu'ils en sont déçus. Ces gens ne veulent pas recevoir d'ordres de qui que ce soit et désirent n'en faire qu'à leur tête dans l'organisation.

- Les cabales : Les membres de ce groupe ne se retirent pas de leur organisation, ils essaient de restructurer celle-ci de façon nouvelle et selon leur propre conception. Les cabales émergent rapidement durant les périodes de réorganisation et abondent quand les membres clés de celle-ci se désistent ou quand de nouveaux postes font leur apparition. Ils ont tendance à noyauter les comités afin de manipuler le plus d'informations possible.

• Les factions : Ce sont des personnes qui ont des objectifs différents de ceux des autres membres de leur organisation et qui cherchent à faire dévier les objectifs organisationnels. Généralement, la position des factions est clairement connue. De façon imagée, ils constituent l'opposition officielle de l'organisation.

Ces différents groupes apparaîtraient de façon hiérarchisée selon les différents types d'organisation privée ou publique.

Cette approche est intéressante puisqu'elle présente une conception intégrative des groupes informels dans l'organisation. Les organisations privées orientées vers le profit engendreraient surtout des claques comme groupe conformiste et des cliques comme groupes dissidents. Les organisations publiques surtout orientées vers le pouvoir verraient plus l'émergence de groupes fonctionnaires dans la catégorie conformiste et de cabales dans la catégorie dissident.

TABLEAU 1

Hiérarchisation des groupes informels d'après la théorie de Polsky (1978)

	Catégories de groupes informels	
Type d'organisation	Conformiste	Dissident
Organisation privée	1. Claque 2. Fonctionnaire 3. Loyaliste	1. Clique 2. Cabale 3. Faction
Organisation publique	1. Fonctionnaire 2. Claque 3. Loyaliste	1. Cabale 2. Clique 3. Faction

Les coalitions

Les coalitions sont généralement définies comme des alliances de différents groupes en vue de réduire les incertitudes qui les frappent.

La typologie de Cobb

Cobb (1986) développe une définition et une typologie des coalitions en milieu de travail sur la base de leur fréquence d'activité et de leur permanence. La coalition est définie comme étant «un groupe d'intérêt où la tâche commune des membres consiste à résoudre un problème extérieur au groupe». Trois principales catégories de coalitions sont identifiées : potentielles, opérationnelles et périodiques. L'ensemble de ces coalitions vise d'abord et avant tout un changement, lequel est généralement lié aux politiques de l'organisation.

Les *coalitions potentielles* sont inactives, mais mobilisables. Actives, les *coalitions opérationnelles* connaissent, quant à elles des préoccupations nombreuses et des buts qui ne sont jamais pleinement atteints. Ces coalitions peuvent être *établies* si leur activité est permanente (ex. : un syndicat) ou *temporaire* si leur activité est ponctuelle. Enfin, les *coalitions périodiques* s'activent et se désactivent régulièrement.

La typologie de Summers

Summers (1986) décrit certains types de regroupements informels dans l'organisation en s'intéressant plus particulièrement aux coalitions. Il définit la coalition comme une alliance entre des individus mettant des ressources en commun pour promouvoir un intérêt organisationnel. Elle peut également servir à protéger la position formelle d'un membre ou à saboter l'organisation. Une coalition est nucléaire lorsque tous les membres participent également, et étendue lorsqu'elle est constituée d'un noyau et de partisans occasionnels. Les groupes ne possédant pas les caractéristiques de la coalition constituent des protocoalitions, soit des groupes qui s'échangent plus rarement des ressources ou qui sont peu orientés vers une tâche commune.

Les clans

Les clans constituent une autre forme de regroupement présent dans nos organisations. Selon Ouchi (1986), un clan constitue un regroupement d'individus dont les membres sont liés grâce à un long passé commun. Il faut en général une forte mémoire sociale pour que les clans se constituent. Selon Saint-Germain (1997), les cliques sont des clans, mais les clans ne sont pas toujours des cliques. Une clique est un sous-ensemble d'individus plus étroitement identifiés les uns aux autres qu'aux autres membres de l'organisation. Le clan se distingue par l'homogénéité de ses membres sur certains critères (race, religion, etc.) alors que les cliques et les claques existent de par leur appartenance à une organisation donnée. Dans les organisations au long passé, les clans pourraient s'apparenter à une franc-maçonnerie. Saint-Germain (1997) parle aussi de *clanocratie* pour désigner un mode de fonctionnement organisationnel fondé sur un ensemble de processus actualisés par le jeu politique de plusieurs individus représentant des clans non liés, en compétition pour l'atteinte de buts organisationnels et pouvant se coaliser en vue d'intérêts ponctuels communs. Les clans ne peuvent survivre sans les coalitions. La clanocratie est un lieu de pouvoir et non de réalisation ou d'exécution. Les clans seraient donc par leur objectif de pouvoir plus fréquents dans les organisations publiques que privées. On n'a qu'à regarder les groupes de pression qui existent dans le sillage d'organisations publiques comme les écoles.

Spécificités du groupe informel

Le terme *groupe informel* est souvent utilisé dans la documentation scientifique comme un vocable générique, sous lequel se retrouvent indistinctement les regroupements allant des cliques aux coalitions et aux clans. Or, le recours au terme *regroupement informel* comme appellation générique nous apparaît plus approprié, étant donné qu'il permet de réserver l'expression de groupes informels pour désigner ce que plusieurs auteurs et nous-mêmes concevons comme des cliques, des claques, des cabales, des fonctionnaires, des loyalistes, des factions et des clans (Tichy, 1973; Boissevain, 1968; Polsky, 1978).

Conformément à la typologie de Tichy et Fombrun (1979), il est possible de scinder les regroupements informels en deux grandes catégories : les regroupements allant des cliques aux clans, d'une part et les coalitions, d'autre part (Stevenson, Pearce et Porter, 1985; Gummer, 1986; Tichy et Fombrun, 1979). Les principales caractéristiques qui distinguent les deux types de regroupements ont trait, à leur permanence, aux objectifs qu'ils poursuivent et à leurs sphères d'activités. En effet, les coalitions se forment pour *réagir* à un événement ou à une situation *définie dans le temps*; elles existent à cette fin et elles agissent habituellement dans la sphère formelle de l'organisation (Stevenson *et al.*, 1985; Tichy, 1973). Ainsi, les coalitions conduisent habituellement leurs activités ouvertement. La définition donnée par Stevenson *et al.* semble bien résumer l'utilisation du terme (voir Tichy et Fombrun, 1979; Lawler et Bacharach, 1983) : une coalition est une alliance temporaire entre des acteurs créée explicitement en fonction d'objectifs précis, indépendamment de la structure formelle. Les liens entre les coalitions et le pouvoir sont aussi plus clairement établis. Les coalitions sont généralement perçues comme une tactique d'influence à l'intérieur des organisations (Cobb, 1986; Kipnis, Schmidt et Wilkinson, 1980; Summers, 1986). Les coalitions se distinguent aussi par leurs enjeux de niveau organisationnel, c'est-à-dire les buts de l'entreprise et les moyens d'y parvenir.

À l'opposé, les cliques et compagnies ont un effectif plus permanent qui est basé sur des relations affectives (Tichy, 1973). De plus, elles jouent leur rôle sur des scènes essentiellement psychosociales et informelles. En ce sens, plusieurs auteurs (Baker, 1981; Doyle, Pignatelli et Florman, 1985; Ellis, 1979; Farris, 1979; Hussein, 1989; Litterer, 1963; Muti, 1968) soutiennent que la raison d'être des groupes informels réside dans la satisfaction des besoins et des intérêts de leurs membres. Ainsi, les groupes informels peuvent renforcer l'estime de soi et l'identité personnelle de leurs membres (Baker, 1981), leur reconnaître une certaine influence (Cobb, 1986), les aider à contrôler leurs conditions d'existence (Selznick, 1966; cité par Farris, 1979), les supporter affectivement (Doyle *et al.*, 1985) et générer des amitiés (Ellis, 1979).

Ainsi, conformément aux typologies de Dalton (1959), de Hicks (1972) et de Sayles (1963), le groupe informel semble s'acquitter d'une double tâche en comblant, d'une part, les besoins socioémotifs des membres et, d'autre part, leurs intérêts de nature plus instrumentale ou politique. Ainsi, les enjeux du groupe informel semblent se résumer à assurer le bien-être de ses membres dans l'organisation.

Dès lors, il semble qu'il n'y ait pas matière à ce que l'organisation formelle se sente menacée par les groupes informels. Toutefois, si l'on considère l'importance que peut prendre la satisfaction de ces besoins et intérêts pour les membres, l'influence que le groupe informel peut avoir sur eux apparaît évident (Durand, 1991). Nous décrirons au chapitre 4 le pouvoir d'influence et la relation d'opposition que les groupes informels sont soupçonnés d'entretenir avec leur organisation.

COMPOSITION DU GROUPE INFORMEL

La recension de la documentation scientifique met en relief plusieurs considérations théoriques dignes d'intérêt pour la définition et la compréhension des groupes informels dans l'organisation, mais également un manque d'intégration et l'absence de cadre conceptuel (Laroche, 1991). Aussi, la synthèse des connaissances acquises sur les groupes informels s'est imposée à notre équipe et nous a permis d'arriver aux constats qui vont suivre.

Une définition empirique

Il existe dans les organisations des entités sociales non prescrites par la direction qui sont plus que la constatation que certaines personnes partagent des affinités ou interagissent souvent ensemble. Elles ne sont pas assimilables à la simple psychologie individuelle. Ces groupes ont une existence et des caractéristiques propres, distinctes de la structure formelle de l'organisation et des membres qui en font partie.

Ces groupes sont le pur produit de la volonté des membres. Leur existence n'a nullement été voulue ou planifiée par l'autorité légitime de l'organisation. Les membres y adhèrent librement et décident eux-mêmes des objectifs et de la façon de fonctionner de leur groupe. Interdépendants, les membres ont besoin les uns des autres pour satisfaire leurs besoins et leurs intérêts, de sorte que pour y arriver, ils structurent et coordonnent leurs interactions et leur conduite individuelle, de façon plutôt implicite. Ainsi, le groupe se différencie progressivement de son organisation et fait de plus en plus figure de système psychosocial autonome.

Parmi les différents types de regroupements informels, le groupe informel peut être assimilé à une clique, une claque, etc., mais non à une coalition. Permanent, le groupe informel se fonde sur des relations affectives et voit son rôle résider dans la satisfaction des besoins et des intérêts de ses membres. Enfin, le groupe possède des frontières perceptibles qui sont plus ou moins précises et perméables. On trouve souvent un noyau de membres nettement associé au groupe et quelques personnes dont l'appartenance est incertaine.

Après avoir cerné ces principales dimensions du groupe informel, il devient possible de le définir. Laroche (1991), un pionnier au sein de notre équipe de recherche, a élaboré une définition générale des groupes informels afin de rendre compte de leurs caractéristiques essentielles et distinctives. Bien que cette définition ait été élaborée dans une perspective exploratoire et qu'elle s'avère assurément incomplète, son application a permis de systématiser l'identification des groupes informels et de poser les bases d'une démarche de recherche intégrée. À cet effet, Wilson (1978), le seul auteur ayant consacré un ouvrage entier aux groupes informels, déplore la négligence des chercheurs et des théoriciens qui ont recours à des concepts sans tenir compte des définitions qui leur ont été attribuées dans le passé.

La définition présentée ici se voulait délibérément large au moment de sa rédaction et ce, pour deux raisons : d'abord, la majorité des recherches portant sur le sujet sont exploratoires ; ensuite, les types de regroupements informels qui connaissent sans doute des développements relevant de leurs idiosyncrasies semblent aussi nombreux que les différences existant entre les organisations. La définition proposée par Laroche est donc la suivante :

> Le groupe informel est une collection d'individus entretenant entre eux des relations non prescrites, de sorte qu'ils sont perçus comme formant ensemble une entité sociale, qui dépasse la simple juxtaposition des membres et qui est distincte de la structure formelle de l'organisation. On peut en discriminer la plupart des membres et des non-membres (p. 26).

La première dimension de cette définition est relative aux relations entretenues par les membres. Par rapport à l'organisation formelle, leurs relations sont non prescrites au sens où elles ne sont pas limitées à la prescription des tâches liées au travail (Hussein, 1989). Le groupe ne reçoit pas de mandat de l'autorité légitime de l'organisation (Stevenson, Pearce et Porter, 1985). Le groupe est donc autonome dans la détermination de ses objectifs et dans sa façon de fonctionner.

La seconde dimension renvoie au fait que le groupe doit être perçu par une majorité d'acteurs pour être considéré comme une entité sociale distincte et bien réelle. Le fait qu'une minorité d'acteurs n'identifie pas le même groupe ne signifie pas que celui-ci n'existe pas. Ainsi, il se peut que l'appartenance au groupe de certains individus soit difficile à déterminer (Shaw, 1981) et même que certains membres puissent en faire partie sans en avoir pleinement conscience (Wilson, 1978).

Compte tenu du caractère souvent inconscient des buts partagés par les membres d'un groupe informel, Laroche semble avoir préféré ne pas faire mention des objectifs communs des membres et de leur interdépendance dans sa définition.

Critères d'identification des membres de groupes informels

L'exercice de conceptualisation et de définition auquel nous venons de nous livrer a permis de dégager, dans un deuxième temps, les quatre critères d'identification des membres de groupes informels qui ont été évalués par notre équipe.

Afin d'intégrer les connaissances empiriques acquises au fil de nos recherches et les réflexions qu'elles ont suscitées, ces critères d'identification ont fait l'objet d'un peaufinage continu :

1. percevoir que l'on est membre d'un groupe au travail ;

2. être constitué d'au moins deux autres personnes ;

3. avoir développé spontanément avec elles des relations amicales et de soutien au travail ;

4. fréquenter les autres membres du groupe aussi en dehors du travail (repas, activités, sports, etc.).

Ainsi, le premier critère d'identification des membres de groupes informels renvoie à la conscience de l'existence même du groupe par ceux-ci. Le deuxième critère rend compte du nombre minimal de membres, soit trois personnes en tout, pour qu'un groupe restreint existe. En effet, une dyade ne pourrait être considérée comme un groupe restreint, étant donné qu'on ne peut pas y observer des phénomènes de majorité (Landry, 1995) et parce que le nombre de relations interpersonnelles est inférieur au nombre de participants (Richard, 1996).

Le troisième critère, pour sa part, reflète bien les deux objectifs que permet d'atteindre le groupe informel, soit de combler des besoins socioaffectifs, comme l'amitié, ou de combler des besoins plus instrumentaux, comme les différentes formes de support que l'on peut recevoir au travail. Enfin, il est apparu au fil des recherches de notre équipe que les groupes informels les plus purs, soit ceux qui présentaient de façon constante leurs caractéristiques distinctives, se rencontraient non seulement en dehors du cadre prescrit de leurs activités, mais aussi en dehors des heures de travail.

PRINCIPALES CARACTÉRISTIQUES STRUCTURELLES DES GROUPES INFORMELS

Comme tous les regroupements formels officialisés par la structure officielle des organisations, les groupes informels possèdent leur propre arrangement. Les principales caractéristiques structurelles des groupes informels sont : le nombre de membres, la taille, les démarcations, la composition et les niveaux hiérarchiques.

Le nombre de membres

Le nombre de personnes affirmant appartenir à des groupes informels est impressionnant. En effet, alors que l'étude de Lortie *et al.* (1995b) révèle que 65 % des répondants *font ou ont déjà fait partie* d'un groupe informel, notre équipe de recherche sur les groupes informels rapportait dans son études de 1998, un taux de plus de 68 %. Deux travailleurs sur trois semblent donc faire partie d'un groupe informel en milieu de travail. Nous nous trouvons donc face à un phénomène qui, tout en incluant la majorité des travailleurs, échappe paradoxalement au contrôle de l'entreprise.

Quoiqu'il en soit, il ne fait aucun doute que les groupes informels constituent un phénomène trop important en nombre pour être négligé par les chercheurs et les praticiens qui travaillent dans le domaine des ressources humaines.

La taille

Les groupes informels recensés lors de nos études sur le terrain (Lortie *et al.*, 1995a) présentent un effectif de 5,3 membres en moyenne, ce qui corrobore les résultats de Summers (1986), de Spénard (1992) et de Laroche (1991). Dans toutes ces recherches, la taille des groupes informels varie de 3 à 16 membres. Toutefois, 75 % des groupes informels disent comporter 5 membres ou moins, ce qui en fait assurément des groupes restreints.

Les démarcations

Les frontières du groupe informel sont plutôt floues, car les principaux membres du groupe — ceux qui en forment le noyau — sont souvent entourés de personnes qui ne font que graviter autour du groupe. En fait, 87% des groupes rencontrés par Lortie *et al.* (1995a) disent avoir de ces *graviteurs*. Les *graviteurs* sont des employés qui entretiennent des relations personnelles avec certains membres d'un groupe mais qui ne sont pas identifiés à ce groupe : ce ne sont pas des «réguliers», comme le disait si bien un des répondants de nos recherches. Ceux-ci sont généralement en nombre inférieur à la moitié des membres du groupe. C'est le critère d'assiduité aux activités du groupe que la plupart des répondants utilisent pour distinguer les membres des non-membres. D'autres font appel au surnom ou autres appellations accordées au groupe (ex. : les trois mousquetaires). Cette capacité de discrimination est essentielle au repérage et à l'identification d'un groupe (Alderfer, 1977).

La composition

Nos recherches ne rapportent aucune différence significative dans le taux d'appartenance à un groupe informel si l'on considère l'ancienneté des travailleurs, leur sexe, leur niveau de scolarité, leur statut (permanent, temporaire ou temps partiel), leur statut syndical (syndiqué ou non-syndiqué), leur perception de possibilité ou non d'avancement, le fait d'avoir ou non des enfants, le secteur public ou privé de leur organisation, la taille de l'organisation ou la taille de l'unité de travail.

Par contre, le niveau hiérarchique des répondants et l'appartenance au groupe informel apparaissent liés, mais pas de façon uniforme. En effet, notre étude de 1996 rapporte que le nombre de groupes informels est plus faible chez le personnel d'encadrement (50%) que chez les travailleurs de bureau (77%), tandis qu'une autre recherche effectuée en 1998 montre que les travailleurs occupant des postes élevés (professionnel, superviseur, cadre supérieur) dans la hiérarchie sont plus représentés chez les membres de groupes informels

Ainsi, exception faite des catégories d'emploi, l'appartenance au groupe informel semble embrasser de façon indifférenciée tous les membres de la structure sociale que constitue l'organisation.

Types de groupes informels horizontaux ou verticaux

Conformément à la typologie de Dalton (1959), les répondants de notre étude de 1996 et de celle de 1998 sont composés d'un nombre plutôt égal de *cliques verticales* (52 %), composées de membres de différents niveaux hiérarchiques, et de *cliques horizontales* (48 %), composées d'individus de même niveau hiérarchique.

Jusqu'à présent, nous ignorions quelle pouvait être la répartition de ces types de groupes informels en milieu de travail, bien que les supputations théoriques aient laissé croire à une prédominance de groupes horizontaux.

Les *cliques verticales* ont la réputation de donner lieu à du favoritisme, de sorte qu'un supérieur hiérarchique accorderait des privilèges particuliers aux membres de son groupe (Dalton, 1959). Une vérification de cette assertion par les possibilités perçues de promotion par les membres respectifs de *cliques horizontales et verticales* ne permet pas de soutenir cette hypothèse dans l'étude de nos données. Cependant, ce simple indice ne peut exclure la multitude d'autres faveurs qui peuvent être échangées entre supérieur et subordonnés (ex. : prévenir les membres subalternes des coupures de postes à venir).

Quant aux *cliques horizontales*, elles sont comprises soit en tant que cliques aléatoires composées d'amis, soit en tant que coalitions informelles visant à résister à une contrainte organisationnelle ou à provoquer un changement (Dalton, 1959). Bref, si l'existence de *cliques horizontales et verticales* a été confirmée, l'action de ces cliques ne semble pas comporter de position *a priori* pour ou contre le changement.

LES FACTEURS D'ÉMERGENCE DES GROUPES INFORMELS

Nous allons maintenant présenter les résultats empiriques de notre groupe de recherche sur l'apparition et le développement des groupes informels en milieu de travail. Afin de décrire de façon systématique les facteurs d'émergence et les fonctions tant socioaffectives qu'instrumentales des groupes informels, une première série d'études exploratoires a été entreprise sur le terrain de 1992 à 1995, et une deuxième série, à caractère plus expérimental, de 1995 à 1998. Dans la première série d'études (Spénard, 1992 ; et Lortie *et al.*, 1995a ; 1995b), nous nous sommes employés à documenter la nature des relations qui s'établissent entre le groupe informel et son organisation, alors que la deuxième série de recherches (de 1995 à 1998) s'est intéressée, entre autres, à ses fonctions psychosociales.

Ainsi, 21 groupes informels œuvrant dans 17 organisations des secteurs public, parapublic et privé ont tout d'abord été étudiés. Règle générale, trois individus ont été rencontrés dans chacun de ces groupes : deux membres et un non-membre qui disaient bien connaître le groupe informel. Ces groupes ont pu être identifiés grâce au concours de conseillers internes œuvrant dans ces organisations. Afin de distinguer les membres des non-membres de groupes informels, les sujets de ces trois études ont dû spécifier s'ils faisaient partie d'un regroupement correspondant aux trois critères suivants : 1) « Au travail, j'appartiens à un groupe non prescrit par l'organisation formelle », 2) « Les membres entretiennent entre eux des relations amicales », et 3) « Nous aimons nous fréquenter régulièrement dans le cadre d'activités autres que nos tâches attitrées. » Pour plus de certitude, seuls les groupes existant depuis au moins six mois ont été retenus. Ces énoncés-critères constituent une description opérationnelle du groupe informel dérivée de la définition théorique de Laroche (1991), que nous avons vue auparavant. À quelques détails près, ces critères sont devenus pour notre équipe les conditions nécessaires et suffisantes de l'appartenance au groupe informel.

Pour les fins de notre première série d'études (Spénard, 1992 ; Lortie *et al.*, 1995a), les répondants ont été soumis à des entretiens semistructurés dont le canevas avait été établi à partir des éléments reconnus comme étant les plus caractéristiques des groupes informels dans la documentation scientifique.

Tout chercheur qui tente de dégager les lois de fonctionnement d'un groupe doit d'abord bien le définir et s'interroger sur les facteurs essentiels à sa naissance (St-Arnaud, 1989). Dans cette section, nous décrirons les facteurs recensés dans la documentation scientifique qui sont soupçonnés d'avoir des incidences sur l'émergence, les visées et le fonctionnement interne des groupes informels.

Conformément à la proposition de Lewin (1951) voulant que les comportements individuels soient tributaires de l'interaction d'une personne avec son environnement, les facteurs d'émergence du groupe informel peuvent se regrouper en deux catégories distinctes, soit ceux provenant de l'environnement et ceux liés aux besoins des membres.

L'environnement

Il est très vraisemblable que certaines caractéristiques de l'organisation ont une incidence sur l'émergence de groupes informels, de même que sur leurs fonctions. D'abord, un *degré élevé et rigide de formalisation*, une *distribution restreinte des ressources* et certains aménagements physiques des lieux de travail (dont la *proximité*) pourraient favoriser l'émergence de groupes informels. À cet effet, l'étude de Crozier (1963) sur les organisations bureaucratiques françaises révèle que l'accroissement de la formalisation et de la rigidité (multiplication des règles impersonnelles, centralisation du pouvoir décisionnel) s'accompagne et même favorise le développement de relations clandestines parallèles, plus souples et plus respectueuses des membres. Les fonctions du groupe informel dépendraient, quant à elles, de la *stabilité de l'organisation formelle* (Jurkovich, 1974), de la *mobilité du personnel*, des *mécanismes de contrôle* (Tichy, 1973) et de la *répartition du pouvoir* (Polsky, 1978) propres à l'organisation. Ainsi, il apparaît qu'en règle générale, moins les acteurs ont d'influence dans l'organisation, plus ils ont tendance à faire appel aux normes sociales ou à la force de leur groupe d'appartenance pour réagir, voire même résister à ceux qui détiennent l'autorité (Durand, 1991).

Ceci dit, l'environnement de travail susceptible d'affecter l'émergence et la nature des groupes informels ne se résume assurément pas aux caractéristiques de l'organisation formelle, mais revêt probablement différents aspects, tels le climat de l'organisation, les exigences du travail, la culture organisationnelle, le degré d'affinités entre les employés, le caractère plus ou moins anxiogène et stressant du travail, etc.

Les besoins individuels

Le groupe occupe une place prédominante dans la vie des êtres humains parce qu'il satisfait une exigence fondamentale : le besoin de l'autre. Celui-ci peut se situer tant à un niveau relationnel (ex. : se sentir semblable à d'autres, apprécié ou compris) qu'à un niveau instrumental (ex. : se faire aider, informer, appuyer dans l'adversité, etc.). Toute la structure informelle semble avoir pour fonction de satisfaire les besoins et les intérêts individuels des acteurs organisationnels (Roethlisberger et Dickson, 1939/1967). En effet, lorsque nous sommes engagés par une organisation pour remplir certaines fonctions, nous n'en sommes pas moins des personnes à part entière, avec des besoins qui vont bien au-delà du travail lui-même. Et c'est là le rôle des groupes informels : combler ces besoins socioémotifs et psychologiques laissés pour compte par l'organisation (Baker, 1981). Plus encore, un grand nombre d'autres auteurs (Dalton, 1959 ; Ellis, 1979 ; Farris, 1979 ; Hussein, 1989 ; Litterer, 1963 ; Muti, 1968) notent aussi le rôle joué par le groupe informel dans la satisfaction des besoins des membres, au point qu'elle semble incarner sa raison d'être. Selon la documentation scientifique, les membres de groupes informels présenteraient le besoin d'interagir avec des gens qui leur ressemblent (similarité), qui les complètent (complémentarité) et qui peuvent les aider à se défendre dans l'arène organisationnelle (protection). En ce sens, le groupe constitue tant un objet d'identification qu'une source de pouvoir ou un refuge contre les agents menaçants de l'environnement (Morin, 1996).

Le besoin de similitude

Comme l'indique le dicton « qui se ressemble s'assemble », la *similitude* favorise le développement des relations (Fisher, 1987 ; Maillet, 1988 ; Gergen et Gergen, 1986). Un groupe peut donc naître d'affinités fondées sur une quelconque similarité identitaire (âge, sexe, formation, expérience) ou plutôt sur la reconnaissance d'intérêts, d'opinions ou de façons de communiquer qui se ressemblent. Transcendant les différences sociodémographiques, (Byrne et Wong, 1969), la similitude de valeurs, d'expérience et d'attitudes se révèle toutefois le facteur premier de l'attraction interpersonnelle (Jacques, 1979a). Les attitudes communes créeraient une ambiance propice à la formation d'un groupe (Gurvitch, 1968), dans la mesure où le contact avec des personnes semblables renforce et confirme les individus dans leur manière d'être et d'agir (Laroche, 1991 ; Jacques, 1979a).

Le besoin de complémentarité

Les obstacles auxquels est en butte un individu pour atteindre ses objectifs au travail sont nombreux. En fait, il n'est pas rare que seule la mise en commun d'informations, d'expériences, de connaissances et de ressources avec d'autres lui permette d'arriver à ses fins. La découverte qu'un individu fait de son interdépendance par rapport aux autres le pousse donc à se rallier (Fisher, 1987). Ainsi, la coopération constitue un des principaux motifs de la formation de groupes dans l'organisation (Bergeron *et al.*, 1979). La recherche de complémentarité intervient dans le choix de partenaires. En fait, si les gens sont initialement attirés par la similitude d'opinion, la complémentarité — au plan des rôles notamment (ex. : chef, suiveur) — devient plus importante à mesure que leurs liens se solidifient (Gergen et Gergen, 1986). Qui plus est, la compétence individuelle par rapport à une cible commune constitue un critère de première importance dans la formation de groupes, du moins lorsque ceux-ci ne se fondent pas exclusivement sur des affinités interpersonnelles (St-Arnaud, 1978).

Le besoin de protection

Lorsque des situations menaçantes apparaissent dans l'organisation, il est primordial pour les individus de pouvoir s'appuyer sur quelqu'un qui démontre de la sympathie pour leur cause ou qui est susceptible d'avoir vécu des problèmes similaires (Bergeron *et al.*, 1979). Qui plus est, les individus qui ont peur ou qui vivent une situation complexe ont plus tendance à se rapprocher. Ainsi, une des raisons pour lesquelles se forment les groupes informels est précisément de contrer les tendances coercitives, voire les menaces de l'organisation (Baker, 1981). L'aspect menaçant d'une situation peut revêtir plusieurs significations dans le monde du travail : le changement de mission de l'organisation, des standards de production, la fusion de services, etc. Il faut se rappeler qu'au plan historique, les premières associations de salariés se sont formées en réaction contre le désir du patronat d'effectuer des réductions de salaires.

Les facteurs liés aux besoins individuels seraient, selon plusieurs auteurs, en partie responsables de l'émergence et de la composition des groupes. Vouloir départager de façon claire lequel, de l'environnement ou des besoins individuels, est responsable de la formation des groupes apparaît toutefois assez difficile. Par ailleurs, lorsque les facteurs d'émergence des groupes informels proviennent de pressions de l'environnement organisationnel ou de tensions individuelles, ils répondent forcément au même moment à des besoins psychosociaux : qu'il s'agisse d'un besoin de sécurité, d'appartenance, d'affection, de contrôle ou de pouvoir (Bergeron *et al.*, 1979). Dans tous les cas, le groupe informel propose à ces besoins des réponses adaptées au contexte organisationnel, réponse que l'organisation formelle ne fournit pas. En ce sens, le groupe informel incarne vraisemblablement pour ses membres une manifestation autonomiste de première importance par rapport à la structure formelle de l'organisation.

Facteurs d'émergence et fonctions psychosociales

Dans la première série d'études que nous avons effectuée (Lortie *et al.*, 1995a), tous les groupes informels, sans exception, se sont constitués spontanément, et l'adhésion s'est faite sans contrainte. Peu importe l'événement à l'origine de la rencontre des membres, que celle-ci ait été fortuite (participation à une même séance de formation), facilitée par un membre ou inévitable (travail dans la même unité), aucun individu ne subit de pression pour devenir membre du groupe.

L'attirance mutuelle a été systématiquement à l'origine de la formation des groupes informels rencontrés. En effet, près de 90 % des groupes rencontrés mentionnent l'existence de profondes similitudes entre les membres liée à des attributs personnels ou professionnels. Ils partagent certaines valeurs de travail (ex. : la loyauté envers l'organisation), entretiennent une vision semblable de leur organisation ou valorisent les mêmes manières de faire. Les membres disent partager plus de points communs entre eux qu'avec des non-membres. Les similitudes se retrouvent dans des valeurs de vie (amitié, partage, souci du groupe, probité), des caractéristiques personnelles (franchise, grégarisme, ambition), des goûts et des préférences (politique, sport, culture, loisirs) ou du statut socioéconomique (revenu, statut social). Il va sans dire que les affinités, sous toutes leurs formes, jouent un rôle considérable dans le processus de sélection et d'adoption des membres.

Avec le passage du temps, des critères d'admission se structurent dans le groupe. En général, les groupes informels exigent des membres potentiels qu'ils partagent certaines similitudes avec eux, particulièrement en ce qui concerne l'attitude à l'égard du travail et de l'entreprise. Il peut aussi s'agir de traits de personnalité ou du fait d'occuper un poste particulier dans l'organisation.

En ce qui a trait aux facteurs environnementaux, les membres de groupes informels rencontrés dans nos recherches (Lortie *et al.*, 1995a) ne rapportent pas que les caractéristiques de l'organisation formelle ont eu des répercussions sur l'émergence et les fonctions de leur groupe. En fait nos résultats révèlent que le climat et les *stresseurs* environnementaux (*ambiguïté de rôle, conflits de rôle, surcharge de travail*) n'ont aucune incidence tangible sur l'émergence des groupes étudiés. D'autre part, la thèse selon laquelle la proximité physique et les possibilités matérielles d'interaction constituent des facteurs d'émergence des groupes informels est validée, dans la mesure où les deux tiers (66 %) des groupes informels décrits par les répondants sont composés de membres appartenant à la même unité de travail. Toutefois, nous devons reconnaître avoir été très surpris de cette imperméabilité apparente des groupes informels, dans la mesure où la documentation scientifique permettait d'anticiper une forte interdépendance entre les caractéristiques du groupe informel et leur environnement. Ne comptant toutefois pas de mesures objectives de l'environnement, les résultats de nos recherches ne nous permettent pas de conclure que les groupes informels n'en sont pas affectés.

Cela dit, les besoins individuels semblent jouer un rôle clé dans l'émergence des groupes informels. Le besoin de similitude ressort comme étant nettement plus important, tant sur le plan de l'adhésion que dans la sélection des nouveaux membres. En outre, si les besoins de complémentarité et de protection ne sont pas spontanément rapportés comme étant à l'origine de la formation du groupe, ils apparaissent directement imbriqués dans les fonctions internes du groupe informel, lesquelles renvoient au soutien social, certes, mais aussi au soutien instrumental (entraide, échange d'informations privilégiées, consultation en lien avec le travail) et politique (protection, front commun, influence des décideurs). Ces fonctions sont davantage détaillées dans la prochaine section.

*
* *

Le rôle des groupes informels dans une organisation est intimement lié à la compréhension de leur développement et de leur existence. Plusieurs types de groupes informels peuvent exister au sein d'une organisation. Leurs objectifs peuvent être pro ou contraorganisationnels et ils se développent de façon parallèle à l'organisation. Cette dernière ne peut nier l'existence de ce phénomène qui sert à répondre aux besoins des employés, quels qu'ils soient.

RÉSUMÉ

> ➤ Le concept de groupe soulève un débat épistémologique quant à son existence.
> ➤ Les groupes restreints comportent les caractéristiques suivantes :
>   • la présence d'interactions psychologiques directes entre les membres;

- l'interdépendance des membres par rapport à une cible commune;
- un champ psychologique en constante structuration.

➢ Les personnes qui constituent un groupe doivent être considérées dans une perspective psychosociale (et non psychologique) en tant que membres.

➢ En comblant les besoins des membres, le groupe semble constituer un dispositif de gestion des intérêts individuels au travail.

➢ Plusieurs types de groupes existent en milieu de travail et peuvent prendre des noms variés selon les objectifs qu'ils poursuivent. On retrouve ainsi des cliques, des claques, des cabales, des clans, des fonctionnaires, des loyalistes et des factions.

➢ Il y aurait une hiérarchie de l'importance des groupes selon qu'une organisation soit privée ou publique.

➢ Les différents groupes peuvent se liguer entre eux pour former des coalitions en vue de combattre les incertitudes qui les frappent.

➢ Des clans peuvent aussi apparaître dans les organisations, ce sont des regroupements d'individus dont les membres sont liés grâce à un long passé commun. Ils s'apparentent quelquefois à la franc-maçonnerie.

➢ À l'exception des coalitions, tous les groupes mentionnés dans ce chapitre font partie d'une catégorie plus large que l'on nomme «groupes informels».

➢ Les critères d'identification des membres des groupes informels sont les suivants :
- percevoir que l'on est membre d'un groupe au travail;
- être constitué d'au moins deux autres personnes;
- avoir développé spontanément avec elles des relations amicales et de soutien au travail;
- fréquenter les autre membres du groupe aussi en dehors du travail (repas, activités, sports, etc.).

➢ Les facteurs d'émergence des groupes informels dans les organisations sont de façon théorique et empirique : l'environnement de travail; le besoin de similitude; le besoin de complémentarité; le besoin de protection.

3

LA CULTURE DU GROUPE INFORMEL

Objectifs du chapitre

Ce chapitre vise à amener le lecteur à reconnaître la culture d'un groupe informel et comprendre comment elle se structure. L'influence de la culture sur l'orientation comportementale des membres du groupe sera aussi présentée.

PROCESSUS D'ORGANISATION DES CONDUITES ET DES ATTITUDES EN GROUPE

Afin de faciliter la compréhension de l'existence et du fonctionnement des groupes informels, il s'avère essentiel de se pencher sur la culture sociale qui s'y installe et s'y développe. Un changement organisationnel réussi doit tenir compte de la culture des groupes qui composent l'organisation. Le but n'est pas d'essayer de combattre ces cultures mais plutôt de les intégrer dans la culture plus globale de l'organisation. Ainsi, la culture des groupes informels peut être définie comme l'ensemble des phénomènes sociaux, croyances, connaissances, réalisations et normes qui sont propres à un regroupement d'individus. Il s'agit en fait des façons partagées de penser, de ressentir et d'agir.

Dès l'instant où des individus sont interdépendants dans la poursuite de leurs objectifs, ils doivent se coordonner, de même que structurer et orienter leurs activités pour atteindre ces objectifs. Selon Wilson (1978), la structure interne du groupe informel se forme directement à partir de l'interdépendance des membres. À cet effet, dès 1939, Roethlisberger et Dickson mentionnaient qu'une structure informelle était immanquablement liée à la structure formelle d'une organisation, laquelle limite et contraint les modèles de relations en fonction du système d'idées et de croyances partagées par les membres.

Étant placés dans une position de dépendance mutuelle, les membres d'un groupe exercent une influence indéniable les uns sur les autres. Cette influence ne s'exerce toutefois que rarement de façon directe, mais se voit récupérée dans un processus naturel d'organisation et de structuration des relations. En fait, tout groupe exerce un contrôle social plus ou moins conscient afin de s'assurer que chacun de ses membres se conforme aux attentes dirigées à son endroit (Homans, 1950). Ainsi, l'organisation et la coordination des actions individuelles par le groupe impliquent que les membres sont moins libres d'agir comme ils l'entendent. Des règles de conduites semblent donc être édictées spontanément de façon à faciliter l'atteinte de leurs objectifs communs (Thibault et Kelley, 1959) et le maintien de relations harmonieuses (Henderson et Argyle, 1986). Ainsi, les groupes créent des normes qui lient solidement les membres les uns aux autres. Les normes indiquent aux membres les comportements désirables pour l'existence du groupe et la réalisation de ses objectifs.

Selon Homans (1950), les comportements des membres se standardisent avec le passage du temps par l'émergence de normes et l'attribution de rôles, soit des normes personnalisées, à chacun des membres. Les normes confèrent à tous et chacun des lignes directrices quant aux comportements que ceux-ci doivent adopter. Ainsi, non seulement un membre sait-il ce qui est attendu de lui, ce qui lui permettra d'éviter la désapprobation des autres, mais il est aussi en mesure d'anticiper et de s'ajuster aux comportements des autres membres. Dès lors, les normes semblent conférer aux membres du groupe informel une base qui fonde leur interdépendance (Wilson, 1978). Ces normes définissent aussi les sanctions possibles chez les membres en cas de déviance.

Briand (1995) observe que les normes qui se développent dans les comités sont souvent négociables et négociées. Nous avons tendance à croire que c'est aussi le cas dans les groupes restreints. En effet, si les membres se conforment habituellement aux attentes de leur groupe, des stratégies d'influence et de normalisation semblent constamment en œuvre pour répondre aux besoins paradoxaux de préserver l'individualité et d'assurer la réalisation des objectifs du groupe.

En ce sens, il est important de noter que la structure interne du groupe informel ne semble jamais prendre le dessus sur les besoins ou intérêts des membres. Ainsi, aucune *inertie* (Wilson, 1978) ne semble s'introduire dans le groupe, laquelle pourrait s'exprimer par de la résistance au changement, l'ossification du groupe (comme une bureaucratie) ou sa dispersion (Sartre, 1985, voir Morin, 1996). Formé en réaction au caractère impersonnel de la structure formelle, le groupe informel préserverait donc davantage sa cohésion et son dynamisme (Wilson, 1978) que l'organisation formelle qui s'est initialement développée, elle aussi, sur la base de rapports interpersonnels d'abord exempts de règles et de hiérarchie. Les groupes informels vont même survivre aux modifications de structure ou aux changements dans les départements ou services.

STRUCTURE INTERNE DU GROUPE INFORMEL

Le groupe développe une structure de fonctionnement semblable à la structure formelle de l'organisation. Ainsi, l'agencement des relations engendre une structure interne dans le groupe informel.

La structure interne

S'inspirant des modèles de la structure sociale de Davis (1949) et du système-groupe de Wilson (1978), Laroche (1991) s'est employé à dégager les principales dimensions de la structure interne des groupes informels à travers une cinquantaine d'entrevues menées auprès de membres et de non-membres de groupes informels. Après un examen approfondi de leurs composantes structurelles (ex. : normes, leadership, symboles identitaires), Laroche soutient qu'il existe quatre niveaux de structure dans le groupe informel qui permettraient de comprendre les mécanismes et les lois régissant son fonctionnement, soit les structures comportementale, axiologique, normative et identitaire.

La structure comportementale fait référence à l'ensemble des *activités*, des *interactions* et des *sentiments* qui se produit dans le groupe avec une certaine régularité (Homans, 1950). Reflétant les moyens concrets par lesquels un groupe tente quotidiennement d'atteindre ses objectifs, cette structure désigne la relative cohérence que l'on peut anticiper et observer dans les comportements posés par les membres d'un groupe (Davis, 1949). Cette structure incarne la dimension manifeste de la culture qui se développe dans une unité sociale (Schein, 1985). Par leurs *interactions* et leurs *activités* communes, non seulement les membres d'un groupe développent de bons *sentiments*, mais leurs comportements s'uniformisent de façon inconsciente (Homans, 1950). En ce sens, Homans rapporte un exemple spectaculaire d'uniformisation des conduites à la Relay Assembly Test Room de l'usine Western Electric de Hawthorne. Dans cette pièce, cinq jeunes femmes exécutaient un même travail, monotone à souhait, d'assemblage de relais électriques. L'assemblage de chaque relais étant très court, toute modulation délibérée de la production était impossible : elles devaient en être inconscientes. Ainsi, ce travail n'exigeant pas une grande concentration, ces dernières étaient amplement en mesure de bavarder avec leurs voisines immédiates. Au fil du temps, on a noté que la production individuelle des ouvrières est devenue presque identique, et que — plus encore — les fluctuations de leur taux de production présentaient des évolutions tout aussi identiques. Cette observation est apparue d'autant plus concluante lorsque les ouvrières ont été invitées à changer de voisines, dans la mesure où cette standardisation des productions individuelles s'est estompée pour ne réapparaître que progressivement par la suite. Ainsi, les comportements des membres d'un groupe se structurent naturellement, sans même que les individus en soient conscients.

La structure axiologique réfère au système de croyances et aux idéaux du groupe. On parle d'une structure axiologique, dans la mesure où il devrait y avoir une certaine cohérence dans les croyances des membres (Davis, 1949 ; cité par Scott, 1981). Inscrite à même les *valeurs* et la *finalité* du groupe, cette structure oriente les membres vers un idéal et leur sert de cadre de référence lorsqu'ils sont aux prises avec des difficultés au travail. Cette structure semble correspondre au niveau inconscient et cognitif de la culture qui se développe dans le groupe (Ott, 1989 ; Schein, 1992 ; Savoie, 1987). D'autre part, certaines variables semblent relever à la fois des structures *comportementale* et *axiologique*. Ainsi en est-il des *normes* qui impliquent à la fois une croyance dans la supériorité d'un comportement et une sanction pour les déviants (comportement). De même, comme les *rôles* constituent des normes personnalisées (Homans, 1950), ils stipulent des comportements attendus de certains membres et des sanctions pour les déviants. Il semble en être de même pour le *leadership,* dans la mesure où un leader informel jouit d'un rôle particulier en même temps qu'il exerce une influence sur les autres membres du groupe.

Les normes, les rôles et le leadership, qui se situent à la jonction des structures axiologique et comportementale, semblent constituer à eux seuls *la structure normative* du groupe. Lorsqu'il y a un écart entre ce que le groupe veut être (*structure axiologique*) et ce qu'il est vraiment (*structure comportementale*), ces trois variables contribuent à réduire cet écart. Ce sont des mécanismes d'influence interne qui canalisent l'énergie du groupe vers son but. Dans la mesure où un groupe est presque toujours en tension entre ce qu'il est et ce qu'il voudrait être, ces mécanismes sont constamment sollicités. En ce sens, les normes et les rôles émergent des comportements posés par les membres, tout comme ils en constituent une réaction. Notons que les groupes vont souvent être plus sévères face à ceux qui ne respectent pas leurs normes que l'organisation pourrait l'être face au non-respect de ses propres normes. Un individu risque d'être plus sévèrement puni par son groupe informel qu'il ne le serait par la direction de son organisation en cas de non-conformité aux normes formelles (règlements, codes de conduite, etc.).

Enfin, *la structure identitaire* pourrait se définir comme l'ensemble des représentations cognitives que les acteurs organisationnels ont du groupe. Il s'agit de la conscience que le groupe existe et du degré de conscience que le groupe a de son existence. Ainsi, les *caractéristiques distinctives* et les *symboles identitaires* du groupe informel, les principales composantes de cette structure, servent à distinguer et à établir la frontière entre le groupe informel et son environnement. Les groupes informels s'approprient bien souvent un territoire qui permet de les reconnaître. Ainsi, tel groupe s'assoira toujours à la même place à la cafétéria ou dans les salles de réunion. Les membres pouvant même porter des vêtements semblables. Il faut souligner qu'en cas de conflit entre deux groupes, celui qui est le plus structuré va tenter d'imposer sa structure à l'autre.

Structure interne et culture

Comme nous avons pu le voir, les structures axiologique, normative, comportementale et identitaire décrites précédemment correspondent de façon frappante aux composantes d'une culture — du moins, celles décrites par Schein (1992) —, soit les artefacts et ses manifestations visibles, les valeurs qui se dégagent du comportement des membres et les croyances fondamentales quant à la réalité organisationnelle que ceux-ci partagent. Dans la présente section, nous nous proposons d'expliquer cette autre façon de conceptualiser et de définir la structure interne du groupe informel.

Tout donne à penser qu'une culture se développe dans le groupe informel. D'abord, le groupe informel présente, de par son effectif stable et l'histoire commune de ses membres, les conditions minimales requises à l'apparition d'une culture. Ensuite, la documentation scientifique révèle que les groupes informels remplissent certaines fonctions qui apparaissent proprement culturelles. En effet, Walton et Hackman (1986) ont montré que le groupe informel aide ses membres à symboliser et à mieux comprendre les difficultés partagées par tous. De même, la validation de ses perceptions, de ses sentiments et de ses opinions et l'adoption d'un consensus quant à la réalité sociale par les membres du groupe permettraient de réduire l'anxiété liée au travail (Baker, 1981).

De plus, plusieurs études suggèrent que le groupe informel est susceptible d'influencer l'efficacité organisationnelle tant il façonne la manière dont ses membres pensent, se sentent et agissent (Laroche, 1991; Hackman, 1993). Les groupes informels influenceraient et réguleraient, par des normes implicites, les comportements individuels en définissant des règles de conduites au travail (Baker, 1981). Or, ces normes ont une connotation d'obligation comportementale (Katz et Kahn, 1978; Sathe, 1983) qui évoque bien la dimension normative de la culture organisationnelle. Une organisation efficace serait celle qui n'essaie pas de combattre les cultures des différents groupes informels qui la composent, mais qui les intègre plutôt dans son propre énoncé de culture.

Comme nous l'avons vu précédemment, la culture peut se traduire comme un ensemble organisé de croyances fondamentales par rapport à la réalité, apprises et partagées par les membres d'une entité sociale, à la suite de problèmes qu'ils ont résolus dans leur adaptation externe ou l'intégration de nouveaux membres. Ces croyances reflètent les solutions que les membres ont trouvées pour résoudre les problèmes et qui sont apparues suffisamment valides pour être enseignées aux nouveaux comme *la façon* adéquate de percevoir, de penser et d'agir par rapport à ces problèmes (Schein, 1992). Ainsi, les membres développent de mêmes constructions sociales de la réalité qui leur permettent de réduire leurs anxiétés et leurs incertitudes.

La culture d'une entité sociale constitue un phénomène central à la socialisation, à la définition et à la régulation des comportements et des attitudes en milieu de travail (Chagnon, 1991). La culture englobe plusieurs phénomènes organisationnels, dont :

- une certaine régularité dans les comportements adoptés par des membres (des façons de s'exprimer similaires, des traditions, des rituels, etc.) ;
- des normes groupales ;
- des valeurs et des idéaux communs aux membres, etc.

Par ailleurs, la culture dépasse et transcende la somme de ces phénomènes à deux égards. D'abord, la culture confère au groupe une *stabilité structurelle* de par l'influence profonde et inconsciente qu'elle exerce sur les comportements et attitudes des membres. Ensuite, elle rend possible *l'intégration* des différents éléments culturels en une configuration cohérente de valeurs, de normes et de comportements (Schein, 1992). Le développement de la culture groupale peut être attribué au besoin qu'éprouvent les membres de groupes informels d'édicter des règles de conduites qui rendent leurs relations avec les autres et avec leur environnement prévisibles, cohérentes et sensées.

Les comportements observables des membres de groupes seraient toujours déterminés, d'une part, par la culture du groupe (perceptions, pensées, sentiments) et, d'autre part, par les contingences situationnelles qui proviennent de l'environnement immédiat du groupe (Schein, 1992). Ainsi, le développement de la structure interne d'un groupe apparaît comme relevant toujours d'une idiosyncrasie (Wilson, 1978). Le groupe informel serait donc, entre autres, un élément de socialisation organisationnelle important pour les nouveaux employés. Dans certaines organisations, on observe une période de quasi maraudage lorsque de nouveaux employés sont embauchés. Chaque groupe essaie d'intégrer en tant que membre le maximum de nouvelles recrues. Ceci peut donner lieu, quelquefois, à des conflits intergroupes.

La structure d'un groupe consiste en un ensemble de règles qui façonne les pensées, les sentiments et les comportements des membres, et ce, presque toujours à leur insu. Dès lors, la structure interne du groupe informel semble régir les comportements des membres, un peu comme la culture organisationnelle régit les comportements des salariés d'une entreprise.

Endossées plus ou moins consciemment par les membres d'une unité sociale, les *règles* de conduites émanant d'une culture dictent et orientent leurs actions. À cet égard, Homans (1950) conçoit que les normes d'un groupe informel engendrent sa structure et se trouvent à la base même de sa culture. Ainsi, il semble qu'on ne puisse dissocier culture et structure. À quelques détails près, les composantes de la culture recoupent les quatre dimensions de la structure interne du groupe informel (identitaire, comportementale, axiologique et normative).

Selon Schein (1992), la culture d'une entité sociale — si petite soit-elle — s'exprime à trois niveaux : les artefacts et les comportements visibles des membres, qui en sont des manifestations directes mais difficilement déchiffrables; les valeurs que prônent les membres au moyen de leur conduite; et les croyances fondamentales quant à la réalité organisationnelle qui sont partagées — souvent inconsciemment — par les membres. D'abord, une correspondance assez évidente se trouve entre le premier niveau de la culture, les artefacts et les comportements visibles, et les structures identitaire et comportementale

Ensuite, la structure normative présente certaines similitudes avec les valeurs que prônent les travailleurs par le truchement de leurs conduites organisationnelles. En effet, les valeurs s'incarnent et dictent les normes du groupe (Schein, 1992). En ce sens, Homans (1950) conçoit que les normes d'un groupe constituent l'expression de valeurs et des croyances fondamentales sur la réalité. Ainsi, la structure normative semble incarner un ensemble de règles de conduite visant à concrétiser les valeurs et les croyances du groupe dans les comportements quotidiens des membres. Véritable ciment qui assure la cohésion d'une organisation (Smircich, 1983), les normes régulent les façons d'être et d'agir des membres et constituent une des manifestations concrètes de l'idéologie dominante d'un groupe (Chagnon, 1991).

Enfin, la structure axiologique du groupe informel — telle que mise en application grâce aux finalités du groupe — présente des ressemblances importantes avec les croyances fondamentales partagées par les membres par rapport à la réalité organisationnelle. En ce sens, Schein (1992) affirme que les croyances profondes dont se dote une unité sociale en réponse à la résolution efficace de problèmes constituent des valeurs souvent inébranlables. Plus un groupe aura été efficace dans le passé, plus il sera cohésif et attirant pour les autres employés. L'efficacité d'un groupe peut parfois créer un sentiment d'invulnérabilité susceptible d'engendrer d'intenses conflits avec la direction d'une organisation ou avec d'autres groupes informels

En considérant la structure interne du groupe informel sous l'angle de sa culture, il devient possible de comprendre le pouvoir d'influence qu'on attribue à ce type de groupe, compte tenu de sa capacité à moduler les façons de penser et d'agir de ses membres. De plus, on peut comprendre comment le groupe informel pourrait s'avérer un lieu de construction social de la réalité organisationnelle. Enfin, il devient possible de comprendre la structure interne du groupe informel comme le pur produit du groupe, pris comme un tout.

DESCRIPTION DES GROUPES INFORMELS SOUS L'ANGLE DE LA CULTURE

Les comportements des membres des petits groupes en milieu de travail peuvent être abordés selon trois axes principaux, soit celui des *activités* qui se développent spontanément entre eux et qui expriment ces sentiments, celui des *interactions* requises à la coordination des membres et enfin celui des *sentiments* d'attraction ou de répulsion entre les membres, (Homans, 1950).

Des comportements manifestes

Les *activités* qui ont cours dans les groupes informels n'ont été que très peu abordées dans la documentation scientifique (Homans, 1950 ; Levine et Moreland, 1990 ; Goodman, Ravlin et Schminke, 1987). Les études réalisées par notre équipe sont riches d'informations à cet égard.

Les 37 membres de groupes informels rencontrés par Lortie (1995b) prennent presque toujours part aux mêmes activités. Bien que les groupes ne disent pas partager le même type d'activités, les membres participent immanquablement à des activités communes hors travail : pause-cafés, dîners, loisirs (soupers, sports, spectacles). Au travail, c'est lors de leurs rencontres, aussi rares et sporadiques soient-elles, que les membres s'échangent des services, que s'effectue le transfert des connaissances et des savoir-faire, que s'établissent les actions tactiques coordonnées.

La presque totalité des membres interrogés affirme prendre part aux diverses activités de leur groupe informel, ne serait-ce que pour se voir, boire et manger (ex. : lunch, pause-café, aller jouer au billard). De même, les membres rapportent significativement plus souvent qu'ils se rencontrent pour discuter de leur travail, pour partager un repas après les heures de bureau, ou pour faire ensemble des activités sportives et culturelles. Le groupe informel peut être un lieu d'échanges de connaissances explicites et tacites nécessaires au bon fonctionnement de l'organisation.

Constitués d'individus en *interaction* qui dépendent les uns des autres pour satisfaire leurs besoins (Wilson, 1978), les groupes informels constituent un lieu tout désigné d'échanges entre les membres, et ce, à plusieurs égards : amitié, services, informations, etc. (Tichy, 1973 ; Tichy et Fombrun, 1979). Dans cette perspective, les groupes informels se caractérisent d'abord par la facilité avec laquelle les relations inter-personnelles se produisent dans le groupe et la fréquence des relations. Quelques auteurs estiment qu'à l'intérieur d'un groupe, la communication est plus simple, moins encombrée, plus fréquente et plus rapide qu'avec les acteurs extérieurs (Baker, 1981 ; Litterer, 1963 ; Tichy et Fombrun, 1979). De même, Laroche (1991) observe des échanges ami-caux, l'apport de soutien aux membres qui éprouvent une surcharge de travail, ainsi que des échanges de services et d'informations.

Dans la très grande majorité des groupes informels rencontrés par Lortie *et al.* (1995a), les échanges portent sur des sujets très significatifs, dont le travail et la vie personnelle. Sur le plan du travail, se transmettent dans le groupe des potins, des rumeurs, des renseignements stratégiques, des développements à venir, etc. On y discute, évalue et réévalue la situa-tion actuelle et l'avenir rattaché au travail. Toutefois, la frontière est mince entre la vie au travail et la vie privée. L'influence du groupe sur la vie pri-vée de ses membres est multiple, variée et profonde : certains groupes rapportent des degrés d'immixtion dans la vie de leurs membres qui s'apparentent parfois à de la psychothérapie populaire.

Les groupes informels se distinguent des autres types de groupes en milieu de travail par la *qualité de leur relation et de leurs sentiments d'attraction réciproques*. En effet, tous les groupes informels rencontrés par Lortie *et al.* (1995a) rapportent la présence de relations amicales entre les membres. La très grande majorité de celles-ci reposent sur la franchise, la sincérité et le respect mutuel. Dans un peu plus de la moi-tié des groupes, les membres se sentent proches les uns des autres, se font des confidences et leur relation atteint un degré élevé d'intimité.

Dans les deux tiers des groupes, les membres décrivent la communication à l'intérieur du groupe comme étant ouverte, familière et louent ce lieu de liberté d'expression, d'écoute et de rétroaction. L'échange et le plaisir d'échanger constituent d'ailleurs parfois en eux-mêmes une raison de rencontre. Comme le disait si bien un membre que nous avons interrogé : « On se rencontre parfois simplement pour bavarder. »

Des artefacts culturels et des caractères distinctifs

La documentation scientifique fait état de trois principaux types d'artefacts culturels : *les rites et les rituels, les traditions* et *le partage de symboles* (ex. : nom, surnom, façon particulière de se saluer, de s'exprimer, de se vêtir, etc.). Une étude empirique entreprise par notre équipe (Baron *et al.*, 2001) révèle à cet égard que les trois quarts des membres de groupes informels organisent des activités pour souligner les événements importants qui touchent leurs membres (rituels) et, cette façon de faire, est beaucoup plus fréquente que les membres d'autres types de groupes en milieu de travail. De même, il apparaît que les membres de groupes informels partagent significativement plus de symboles entre eux, lesquels revêtent la forme d'un vocabulaire particulier et exclusif au groupe, dans une proportion de 45 %, et des façons particulières de se saluer, dans une proportion de 23 %. À cet effet, Levine et Moreland (1990) avaient déjà observé que les groupes restreints développent souvent des traditions et des rituels périodiques qui les renforcent. D'autre part, certains groupes informels rapportent aussi être désignés par un mot précis (ex. : « *la gang* ») ou par un surnom (« les fumiers », « les gars du *pool* » « la clique à Robert »).

Outre ces symboles identitaires, les membres de groupes informels possèdent souvent certaines *caractéristiques distinctives,* de sorte que les individus peuvent faire la distinction entre une personne qui fait partie du groupe et une autre qui n'en fait pas partie. À cet effet, les membres se distinguent souvent par certaines particularités sociodémographiques (ex. : âge ; situation de carrière similaire), des événements auxquels ils ont participé (ex. : un programme de formation), des croyances communes, etc. Dans ce qui suit, nous allons aborder la place des normes, des rôles, du leadership, des valeurs et de la finalité dans le caractère distinctif des groupes informels.

Purs produits du groupe, les *normes* constituent des croyances partagées par les membres dans certaines situations spécifiques (Baker, 1981 ; Goodman *et al.*, 1987 ; Homans, 1950 ; Levine et Moreland, 1990 ; Wilson, 1978). Selon Homans (1950), il est impensable de chercher à comprendre l'élaboration et la standardisation des comportements individuels en groupe sans avoir recours au concept de norme. La plupart des normes rapportées par les membres de groupes informels (Laroche, 1991 ; Lortie, 1995a) servent à maintenir des relations harmonieuses entre les membres et à réguler les activités du groupe. Citons, par exemple, l'incitation à ne pas être trop accaparant, l'interdiction de dire du mal d'un autre membre dans son dos, etc. Les normes sont, en fait, le ciment des groupes., elles constituent un ensemble de principes, de codes, de règles et de procédures servant de référence.

Des *rôles* se développent naturellement dans les groupes informels sans que les membres en discutent ouvertement entre eux. Dans les deux tiers des groupes interrogés par Lortie *et al.* (1995a), par exemple, les membres présentent des structures de comportements qui leur sont attribuées en fonction de leur personnalité (ex. : conciliateur, protecteur, bouffon, etc.), indépendamment de leur position dans la structure formelle.

Le *leadership* informel peut être bien défini, mais il s'avère le plus souvent semi-différencié, multiple et changeant (Baker, 1981 ; Hussein, 1989 ; Litterer, 1963). Les membres de groupes informels choisissent la personne jugée la plus capable d'amener le groupe à son achèvement. Elle est souvent la personne la plus aimée dans le groupe, ce qui semble d'ailleurs tout à fait normal dans la mesure où la raison d'être et la finalité du groupe informel semblent être de combler les besoins et les intérêts des membres.

Le groupe informel développe vraisemblablement un **système de valeurs** qui le différencie des valeurs adoptées par les autres membres de l'organisation, ne serait-ce que par l'accent qu'il met sur le maintien de relations positives entre les membres, l'amitié, l'entraide, la qualité du climat en milieu de travail, etc. (Laroche, 1991). Les valeurs d'une entité sociale cachent souvent des *croyances fondamentales sur la réalité*, soit des façons rigides, voire dogmatiques, de percevoir et de comprendre la réalité organisationnelle (Schein, 1992). Elles se définissent d'ailleurs comme des « croyances profondes et manifestes quant à la supériorité d'un mode de conduite ou d'un objectif de vie ». Selon plusieurs auteurs intéressés à la dynamique des groupes restreints, les valeurs sont donc au cœur des microcultures qui se développent dans les groupes qui composent l'organisation (Anzieu, 1984).

Directement issue des valeurs et des besoins des membres par rapport aux exigences de leur environnement, la *finalité* d'un groupe est parfois clairement articulée et reconnue par ceux-ci, alors que dans d'autres cas, ils en sont tout à fait inconscients (Jacques, 1979a). Les objectifs partagés par les membres de groupes informels s'avèrent plus difficiles à cerner que ceux des groupes formels, puisqu'ils ne sont pas décidés ou imposés par la direction. Par ailleurs, la satisfaction des besoins individuels semble fonder la raison d'être de ces groupes. À cet égard, les membres évoquent souvent le plaisir, de même que le soutien, l'entraide et les ressources de travail qu'ils y trouvent (Lortie *et al.*, 1995).

Profil d'une sous-culture organisationnelle

Comme nous le savons maintenant, la culture organisationnelle présente une dimension normative fondamentale qui s'opérationnalise par des attentes comportementales plus ou moins fortes. Afin de mesurer la dimension normative de la culture des groupes informels, Baron *et al.* (2001) ont eu recours à l'*inventaire des cultures organisationnelles* (ICO) initialement développé par Cooke et Rousseau (1988) pour dégager la force et la teneur des attentes comportementales qui ont cours dans une organisation. L'ICO s'inspire du modèle, conceptuellement très riche, du *Life Style Inventory*, un instrument utilisé en développement organisationnel pour évaluer 12 façons d'être et d'agir que peuvent adopter les gestionnaires. Utile à la compréhension des cultures qui peuvent se développer dans les unités sociales d'une organisation, ce modèle allie le modèle de la personnalité de Leary (1957; voir Baron *et al.*, 2001), les recherches de McCleland, Rogers et Horney sur la personnalité, les études de Maslow portant sur les besoins humains, de même que celles portant sur les styles de leadership de Blake et Mouton. Cette intégration des théories du leadership apparaît particulièrement pertinente dans la mesure où, à l'instar d'Edgar Schein, nous croyons que le leadership émergeant est le pur produit de la culture d'une collectivité.

Comme on peut le voir, ce modèle prend la forme d'un disque où se distribuent 12 types d'attentes comportementales (voir figure 2) par rapport à deux axes qui sont l'axe de l'orientation vers la tâche ou vers les relations humaines, et l'axe des besoins primaires ou secondaires que visent à combler ces façons d'être et d'agir, soit la réalisation de soi ou la sécurité. Les douze dimensions sont (1) *l'entraide humaniste*, (2) *l'affiliation*, (3) *l'approbation*, (4) *la conformité*, (5) *la dépendance*, (6) *l'évitement*, (7) *l'opposition*, (8) *l'acquisition de pouvoir*, (9) *la compétition*, (10) *la compétence*, (11) *l'accomplissement personnel*, et enfin (12) *l'actualisation de soi*. Ces 12 façons d'être et d'agir au travail se regroupent selon trois facteurs principaux, soit des valeurs de *conformisme*, d'*acquisition de pouvoir* et de *réalisation de soi*. Il est à noter que la *réalisation de soi* est évaluée par les travailleurs comme étant au cœur d'une culture idéale, supplantant de beaucoup le *conformisme* et l'*acquisition de pouvoir*.

Dans sa forme initiale, l'*inventaire des cultures organisationnelles* compte 96 questions. L'étude de Baron *et al.* (2001) se voulant d'abord exploratoire, il a été décidé d'en élaborer une forme abrégée et d'évaluer chacune de ces dimensions par quatre questions. Toutefois, la mise à l'épreuve statistique de cet instrument de mesure n'a guère mis de temps à rappeler les dangers inhérents à cette démarche plutôt téméraire. En effet, la contiguïté des facteurs a forcé l'élimination de deux questions se trouvant à la jonction des facteurs *conformité* et *acquisition de pouvoir*, et des facteurs *acquisition de pouvoir* et *actualisation de soi*. Les propriétés métriques de l'instrument sont présentées dans l'article de Baron *et al.* (2001).

FIGURE 2

Modèle de l'inventaire des cultures organisationnelles

Source : Cooke et Rousseau, 1988.

Lorsque les cultures propres aux groupes informels selon leurs membres et celles d'autres types de groupe en milieu de travail ont été comparées, on a pu constater que les membres de groupes informels entretiennent des attentes de réalisation de soi significativement plus fortes que les membres d'autres groupes. Ainsi, les membres de groupes informels perçoivent davantage d'attentes comportementales d'accomplissement personnel, d'actualisation de soi, d'entraide humaine et d'affiliation dans leur groupe, lesquelles, nous vous le rappelons, sont considérées comme idéales par les travailleurs. La présence d'attentes plus fortes de réalisation de soi dans ces groupes corrobore les dernières avancées empiriques sur les groupes informels qui soulignent la volonté marquée de leurs membres de mieux faire et d'en arriver à un mieux-être au travail (Lortie *et al.*, 1995a). Ainsi, les attentes de réalisation de soi visent effectivement à combler les besoins d'ordre supérieur des individus et elles se situent à cheval entre des préoccupations ayant trait à la tâche et aux relations humaines.

D'autre part, on n'observe aucune différence au plan des attentes d'acquisition de pouvoir dans l'organisation. Ainsi, il semble que la culture des groupes informels ne soit pas empreinte d'un désir d'acquérir du pouvoir, contrairement aux affirmations de plusieurs auteurs, selon qui les groupes informels s'opposent à l'organisation et incarnent des pôles d'influence menaçants pour la gestion. Nous reviendrons plus loin dans ce livre sur cette notion de pouvoir associée aux groupes informels.

Enfin, les résultats de Baron *et al.* (2001) indiquent que les membres de groupes informels entretiennent des attentes de conformisme plus faible que les membres d'autres groupes. En fait, les membres de groupes informels affirment n'entretenir aucune attente de conformisme ; alors que les membres d'autres groupes perçoivent que leurs pairs s'attendent à ce qu'ils se conforment. Cette découverte nous apparaît vraiment digne d'intérêt dans la mesure où Chagnon (1991) a déjà noté que les groupes informels adhèrent parfois peu à la culture organisationnelle, ce qu'il avait attribué à la possibilité que ces groupes comptent un plus grand nombre d'innovateurs. En ce sens, les groupes informels semblent davantage encourager leurs membres à être eux-mêmes et à innover plutôt qu'à se plier aux impératifs que leur présente l'organisation. Ainsi, peut-être que se trouve là une partie des raisons pour lesquelles les groupes informels ont mauvaise réputation auprès des gestionnaires, dans la mesure où ceux-ci peuvent ne pas apprécier de voir leurs subalternes être eux-mêmes plutôt que d'essayer de leur plaire, ou bien encore d'innover plutôt que d'obéir aveuglément aux instructions qu'ils reçoivent.

En définitive, la culture des groupes informels se distingue de celle des autres groupes au travail par des attentes de réalisation de soi significativement plus fortes, de même que par des attentes de conformisme significativement plus faibles. De plus, les groupes informels ne rapportent pas plus d'attentes d'acquisition de pouvoir que les regroupements officiels de l'organisation. Enfin, de par ses attributs culturels, le groupe informel semble constituer un agent de socialisation et d'innovation organisationnelle, contribuant par le fait même à la constante adaptation et à la pérennité de l'organisation (Schein, 1992).

RÉSUMÉ

➢ Les groupes informels établissent un contrôle social plus ou moins conscient afin de s'assurer que chacun des membres se conforme aux attentes à son endroit.

➢ Il existe quatre niveaux de structure dans le groupe informel qui permettent de comprendre les mécanismes et les lois qui régissent son fonctionnement, soit les structures comportementale, axiologique, normative et identitaire.

➢ Le groupe informel serait un lieu de socialisation organisationnelle important pour les nouveaux employés. Une organisation aurait donc intérêt à fournir un endroit (salon, salle à café, cafétéria) où ses employés peuvent socialiser.

➢ La culture des groupes informels agit de façon identique à la culture organisationnelle dans laquelle ceux-ci se trouvent.

➢ Les rites, les rituels, les traditions et le partage de symboles sont des caractéristiques importantes de la culture des groupes informels.

➢ Les groupes informels semblent davantage encourager les membres à être eux-mêmes et à innover plutôt qu'à se plier aux impératifs de l'organisation.

➢ Les groupes informels ne rapportent pas plus d'attentes d'acquisition de pouvoir que les groupes prescrits par l'organisation.

➢ La culture des groupes informels se distingue de celle des autres groupes au travail par des attentes de réalisation de soi significativement plus fortes.

4

LES APPORTS DU GROUPE INFORMEL

Objectifs du chapitre

L'objectif de ce chapitre est de décrire théoriquement et empiriquement les fonctions des groupes informels dans les organisations en tant que dispositif d'adaptation et de bien-être des membres au travail. Le rôle du groupe informel dans le sentiment de maîtrise des membres dans l'organisation sera aussi abordé ainsi que celui de soutien social et adaptatif au travail. Les effets du groupe informel sur la gestion du stress de ses membres, sur le sentiment d'aliénation et de satisfaction, sur l'engagement au travail et l'intention de démissionner de son emploi seront aussi étudiés. Finalement, les normes et le rôle politique du groupe informel seront présentés en tant que dispositif de maîtrise de l'environnement de travail.

LES FONCTIONS PRÉSUMÉES DU GROUPE INFORMEL

Quatre fonctions se dégagent de la documentation scientifique comme pouvant être remplies par les groupes informels. Deux de ces fonctions s'inscrivent dans le processus de construction, socialement validé, de la réalité organisationnelle et de l'identité personnelle, alors que les deux autres, plus pragmatiques, renvoient à la protection et à l'habilitation (ou *empowerment*) des membres.

La co-construction de la réalité sociale

Inhérente à la culture qui s'y développe, la reconstruction de la réalité organisationnelle est susceptible de mieux faire comprendre le pouvoir d'influence des groupes informels sur leurs membres. Peut-être est-ce là l'apanage des groupes restreints en général, et non l'attribut exclusif des groupes informels. Toutefois, compte tenu du caractère *clandestin* de cette fonction et de son impact potentiel sur les comportements organisationnels des membres, il nous apparaît nécessaire de la présenter.

Selon nombre d'auteurs dont Tichy (1973), Baker (1981), Muchielli (1989), une fonction clé des groupes informels consiste à tester et à définir la réalité sociale de ses membres. Ceux-ci partagent leurs perceptions et leurs sentiments et chercheraient à valider leurs opinions, de façon à interpréter une réalité organisationnelle toujours ambiguë. Le groupe informel deviendrait donc un groupe de référence d'où l'individu tire en partie ses opinions, principes, valeurs, standards et buts personnels. Par exemple, les membres qui vivent des difficultés semblables avec un collègue ou un supérieur peuvent en discuter ensemble et en venir à la conclusion, ou se convaincre mutuellement, que cette personne est effectivement exécrable. Cette démarche permettrait, entre autres, de réduire l'anxiété liée au travail (Baker, 1981). En définissant considérablement l'univers social de ses membres, le groupe informel pourrait donc profondément influencer la manière dont ils pensent, agissent, et comment ils se sentent (Hackman, 1993). La force de ce processus d'influence serait liée à l'amitié et à la valeur que les membres accordent au groupe (Festinger, Schachter et Back, 1950).

La construction de l'identité personnelle

Selon Labrie (2000), le groupe informel permet de consolider la personnalité de l'individu. L'appartenance au groupe a un impact sur l'estime de soi et répond ainsi au besoin d'affiliation de l'individu. Le groupe permet à ses membres de développer et de renforcer leur identité surtout lorsqu'ils sont confrontés à un environnement impersonnel. Les membres des groupes informels vont même jusqu'à donner des noms ou des sobriquets à leur regroupement.

La protection des membres

La fonction du groupe informel la plus fréquemment documentée est celle de la protection de ses membres contre des forces auxquelles ces derniers, s'ils étaient seuls, ne pourraient résister (Baker, 1981; Trist et Bamforth, 1951). Les membres des groupes informels ont tendance à se protéger les uns les autres contre les injustices ou lors de conflits qui peuvent survenir au travail. Lors de problèmes organisationnels importants, des groupes vont fréquemment se former afin de se protéger contre un environnement perçu comme dangereux. Le fait d'appartenir à un groupe et de partager ses appréhensions créent un sentiment de sécurité chez les membres de ces groupes.

L'habilitation des membres

Grâce à son influence sur le processus de décision, le groupe informel a un effet déterminant en ce qui concerne l'efficacité de la structure formelle (Farris, 1979). Il a la capacité de renverser les buts officiels de l'organisation ou, à l'opposé, il peut favoriser une plus grande efficacité de l'organisation malgré une gestion déficiente (Baker, 1981).

LES RÔLES OBSERVÉS DES GROUPES INFORMELS

Nos premiers résultats empiriques nous ont permis d'établir (voir tableau 2) que le groupe informel exerce un rôle de soutien social, de soutien instrumental et de soutien politique (Lortie *et al.*, 1995a), de même qu'un rôle de prévention des conflits (Spénard, 1992). La confrontation des fonctions présumées aux rôles observés empiriquement laisse apparaître des zones de chevauchement (protection et soutien social; habilitation et soutien instrumental de même que habilitation et soutien politique) où la théorie et la réalité observée se valident mutuellement.

Par contre, certaines fonctions présumées telles la construction du réel et la construction de l'identité personnelle n'ont pas leur contrepartie dans les rôles observées. Enfin, la prévention des conflits (rôle observé) est sans équivalent dans les fonctions présumées.

Rôle de soutien social

Les membres de groupes informels s'encouragent, s'écoutent et se soutiennent moralement lors de difficultés. Le fait d'entretenir des relations satisfaisantes et d'obtenir ce soutien du groupe donne aux membres la possibilité de se détendre, d'avoir du plaisir et de diminuer le stress lié au travail. Grâce au groupe, la qualité de vie semble meilleure. Une atmosphère agréable, non menaçante, et la compagnie de personnes avec qui l'on peut exprimer ses aspirations, ses émotions et manifester ses frustrations sans crainte d'être jugé ou condamné constituent un apport reconnu du groupe informel (Burke, Weir et Duncan, 1976). Certains répondants vont même jusqu'à dire qu'ils y trouvent la motivation à rentrer travailler le lundi matin. Selon Tannenbaum (1967), le fait d'entretenir plusieurs relations informelles au travail se traduirait d'ailleurs par l'adaptation et le bien-être des travailleurs. Walton et

TABLEAU 2

Fonctions présumées et rôles observés dans les groupes informels

Fonctions présumées du groupe informel	Rôles observés des groupes informels
Co-construction de la réalité sociale	—
Construction de l'identité personnelle	—
Protection des membres	Soutien social
Habilitation des membres	Soutien instrumental
	Soutien politique
	Prévention de conflit

Hackman (1986) ont également montré que les membres trouvent dans le groupe informel un soutien social qui les aide à mieux gérer le stress lié au travail et le sentiment d'aliénation qu'ils peuvent parfois y vivre. Ce rôle de soutien social avait déjà fait l'objet de commentaires dans la documentation scientifique sous l'angle de la fonction de protection.

Rôle de soutien instrumental

Le groupe informel remplit aussi un rôle d'entraide important pour ses membres, laquelle revêt la forme d'échanges de services, de conseils, de renseignements, etc. En fait, lorsque les membres ont un service à demander, ils se tournent vers les membres de leur groupe, qu'ils savent plus enclins et empressés à les aider. Qui plus est, les membres rencontrés affirment que lorsqu'ils ont à travailler ensemble, la collaboration est plus facile avec eux qu'avec d'autres collègues. Certains affirment même que s'ils avaient la possibilité de choisir leurs collaborateurs, ils se tourneraient vers les membres de leur groupe.

De plus, les groupes informels constituent, selon leurs membres, un lieu privilégié d'accès à l'information, laquelle y circule plus rapidement que si elle passait par les voies formelles. Une majorité des groupes interrogés par Lortie *et al.* (1995a) fournissent un apport considérable d'informations à leurs membres et ce, sans contrainte. Selon nos répondants, ces échanges et ces consultations seraient parfois d'un grand secours pour trouver des solutions à des problèmes ou prendre une décision rapide et éclairée. Ces résultats corroborent ceux des recherches antérieures, notamment celle de Dalton (1959) où les membres de cliques se sont montrés susceptibles de s'entraider et d'échanger des faveurs et des informations privilégiées, ce qu'établissait la fonction présumée d'habilitation.

Rôle de soutien politique

Les groupes informels soutiennent et protègent leurs membres. Si l'un des leurs entre en conflit avec un collègue ou un supérieur, les autres l'épaulent, le réconfortent et appuient ses opinions. En faisant front commun, en adoptant une position similaire par rapport à un problème ou un enjeu particulier, les membres de groupes informels peuvent faire pencher la balance en leur faveur selon le principe «l'union fait la force». Faisant office de contrepoids à l'autorité formelle, il peut donc s'avérer d'un précieux secours pour les membres qui sont confrontés à des injustices (Baker, 1981; Dalton, 1959), ce qui caractérisait la fonction d'habilitation que l'on attribuait au groupe informel.

Nos données révèlent également que le groupe informel constitue un moyen par lequel les membres peuvent tenter d'influencer les décideurs. En effet, certains répondants rapportent parfois se servir les uns des autres pour entrer en contact avec les personnes qu'ils veulent influencer. De plus, en échangeant des renseignements et en se consultant, ils peuvent tenter de convaincre divers acteurs du bien-fondé de leurs décisions. Ce phénomène semble s'observer de façon plus marquée chez les groupes constitués de travailleurs appartenant à des niveaux hiérarchiques différents.

Les groupes informels pourraient donc constituer une source de pouvoir et fournir à leurs membres un soutien politique. Cependant, et c'est là qu'ils diffèrent des coalitions, toute leur existence ne tourne pas autour de la défense des intérêts de leurs membres par rapport à des enjeux très précis. *Contrairement aux coalitions, les groupes informels sont des entités plutôt permanentes, fondées sur des relations d'amitié entre les membres. Dès lors, on peut poser l'hypothèse que c'est de leur cohésion, soit de la force de leur lien, que naît le pouvoir des groupes informels.*

Rôle de prévention des conflits

La majorité des groupes informels ne connaissent pas de conflit prolongé ou non résolu entre leurs membres ou avec un tiers, pas plus d'ailleurs que des relations conflictuelles avec d'autres entités organisationnelles. Les seuls conflits rapportés par les membres se situent dans le groupe ou bien réfèrent à des conflits dans lesquels le groupe a été impliqué sans le vouloir.

Pressentant ou prévoyant des frustrations possibles chez leurs pairs, les membres vont tenter d'intervenir de façon à étouffer les conflits avant qu'ils n'éclatent, faute de quoi, ces derniers seront minimisés et réglés plus facilement. En effet, la relation d'amitié entretenue à l'intérieur du groupe permet une meilleure connaissance des individus et l'anticipation de certaines réactions. Qui plus est, les membres se disent parfois amenés à jouer le rôle de médiateur dans un conflit opposant un membre et un tiers.

LES APPORTS CONFIRMÉS DU GROUPE INFORMEL

Mises à part les études à Hawthorne (Roethlisberger et Dickson, 1939/1967), dans les mines de charbon britanniques (Trist et Bamforth, 1951) ou celle de Dalton (1959), rares sont les recherches empiriques traitant des groupes informels en milieu de travail.

Dans ce qui suit, nous allons présenter les effets tant positifs que négatifs que les groupes informels peuvent avoir sur leurs membres en regard du fonctionnement organisationnel en général. Mais auparavant, quelques mots sur la méthodologie retenue dans toutes nos recherches.

Le premier critère d'identification des membres de groupe informel réfère à la conscience de l'existence même du groupe par ceux-ci alors que le deuxième rend compte du nombre minimal de membres, soit trois personnes, pour qu'un groupe restreint existe. En effet, une dyade ne pourrait être considérée comme un groupe restreint, compte tenu qu'on ne peut pas y observer des phénomènes de majorité (Landry, 1995) et que le nombre de relations interpersonnelles est inférieur au nombre de participants (Richard, 1996). Quant au troisième critère, il reflète bien les deux objectifs que permet d'atteindre le groupe informel, soit de combler des besoins socioaffectifs comme l'amitié et/ou de combler des besoins plus instrumentaux comme les différentes formes de soutien que l'on peut recevoir au travail. Enfin, il est apparu que les groupes informels «les plus prototypages» se rencontraient non seulement en dehors du cadre prescrit de leurs activités, mais surtout en dehors des heures de travail.

C'est sur la base de ces critères que l'on a pu comparer les membres de groupes informels aux membres d'autres groupes, aux non-membres de groupe de même qu'aux non-membres de groupe informel. En effet, à partir du moment où un répondant indique qu'il est membre d'un groupe sans remplir toutes les conditions d'appartenance au groupe informel, il est identifié comme un membre d'un autre type de groupe (ex : comité, cercle de qualité, équipe de travail, unité de travail, département, etc.), alors que s'il indique qu'il ne fait pas partie d'un groupe au travail, il est plutôt identifié comme un non-membre de groupe. Enfin, certaines études entreprises par notre équipe ont parfois comparé les membres de groupes informels à l'ensemble des autres répondants, soit les non-membres de groupes informels .

Ces données proviennent de recherches menées en entreprise auprès de centaines de travailleurs. Nos collaborateurs ont été appelés à développer la majorité de leurs instruments de mesure, lesquels ont tous été intégrés à un même questionnaire. Ainsi, lors des mois d'octobre et novembre 1997, 225 travailleurs québécois sur environ 300 sollicités ont répondu au questionnaire *Travailler avec d'autres*. Les répondants proviennent d'organisations oeuvrant dans les secteurs hospitalier, éducationnel, bancaire, des services publics, de l'énergie et du transport. Cette diversité de milieux visait à contrer les biais culturels spécifiques à un type d'entreprise. Ce questionnaire a été complété sur une base volontaire par les participants. Une lettre accompagnant le questionnaire informait les répondants que la confidentialité et l'anonymat seraient assurés dans le traitement des données. Enfin, les participants avaient le choix de remettre directement le questionnaire à l'administrateur ou de le faire parvenir à notre équipe de recherche par la poste.

Issus d'une démarche intégrée de recherche, les travaux de notre équipe proposent une nouvelle compréhension des fonctions et particularités dynamiques des groupes informels qui — loin de reposer sur des anecdotes — apparaît généralisable à différents contextes organisationnels et culturels. À cet effet, nous croyons que le recours à des questionnaires autorapportés constitue une force importante de nos travaux, permettant l'énoncé de tendances statistiquement significatives sur la base d'un grand échantillon. Plus rapide que les entrevues semi-structurées, ce choix méthodologique s'est avéré aussi plus adapté à la nature informelle de notre objet d'étude que l'observation sur le terrain, d'autant qu'il permet de vérifier la signification de certains comportements organisationnels qui apparaîtraient autrement difficiles à comprendre. Toutefois, il est vrai qu'une telle méthodologie peut présenter certaines limites pour appréhender des attitudes ou comportements peu désirables socialement, et ce même si la confidentialité des répondants fut assurée en tout temps.

La mesure de l'expérience groupale

L'absence d'instrument de mesure limitant considérablement les possibilités d'investigation empirique, notre équipe de recherche a donc élaboré un questionnaire pour mesurer, à partir des perceptions des membres, **l'expérience vécue au sein d'un groupe informel**. Développé sur la base des analyses de contenu de Spénard (1992) et de Lortie *et al.* (1995a), cette mise en application systématique du concept de groupe informel a constitué, à notre connaissance, une première dans l'étude de ce phénomène.

Dans notre deuxième série d'études, de 1995 à 1998, nous avons élaboré un questionnaire à partir des analyses de contenu de notre étude exploratoire. Vingt-sept catégories d'information correspondant aux caractéristiques des groupes informels ont été dégagées. Pour chacune de ces catégories, trois à cinq énoncés ont été formulés dans un vocabulaire accessible. Après plusieurs relectures et une pré-expérimentation, la version expérimentale du questionnaire, composé de 59 énoncés, a vu le jour. Les sujets ont été invités à répondre au questionnaire sur une échelle de réponse de type Likert en six points, en indiquant jusqu'à quel point chacun des énoncés décrivait leur groupe.

Le questionnaire a été expérimenté auprès de 225 personnes venant de divers types d'organisations privées ou publiques. Les résultats mettent en évidence deux volets bien distincts —quoique reliés — de l'expérience groupale des membres de groupe informel, à savoir : **l'amitié** et **l'appui au**

travail. Ces deux volets présentent des propriétés métriques intéressantes qui militent en faveur de leur fidélité et de leur validité. Ainsi, le volet *appui au travail* explique 35,4 % de l'expérience groupale, ce qui signifie que le tiers de ce qui est vécu dans un groupe informel peut être prédit par les comportements d'appui au travail que les membres manifestent les uns envers les autres. De même, le volet *amitié* ajoute et explique une proportion plus réduite, mais non négligeable, de 7,3 % de l'expérience groupale des membres. Ainsi, l'*appui au travail* constitue vraisemblablement l'apport principal du groupe informel, sans toutefois éclipser l'importance des relations amicales qui lient les membres. Par ailleurs, n'oublions pas que si ces deux volets expliquent une proportion intéressante de 42,7 % de l'expérience groupale propre aux groupes informels, d'autres facettes du groupe demeurent encore à circonscrire.

L'appui au travail

Ce volet révèle que les membres trouvent dans leur groupe une protection et un soutien politique lorsqu'ils sont confrontés à des injustices ou des conflits au travail. De même, les membres du groupe s'entraident dans leur travail et se disent capables, si des conflits devaient survenir entre les membres, d'en discuter avant qu'ils ne dégénèrent. Enfin, les membres se fient souvent au jugement des autres membres pour vérifier l'exactitude de certaines de leurs opinions, rapportent des attitudes et des façons de penser semblables au travail, et prennent appui sur le groupe pour transiger avec leurs collègues, leurs patrons ou leurs employés. Ces dernières caractéristiques du groupe informel semblent soutenir la fonction de co-construction de la réalité sociale, sans toutefois nous convaincre que c'est là un trait distinctif du groupe informel.

Le volet **appui au travail** regroupe les comportements suivants de la part des membres des groupes informels :

- protection lors d'injustice ou de conflits ;
- soutien politique dans l'adversité ;
- appui des opinions ;

- prévention des conflits internes ;
- entraide au travail ;
- partage de la même attitude au travail ;
- validation des opinions des membres.

La confirmation du volet de l'appui au travail du groupe informel ne constitue pas une grande surprise tant il est présent dans la documentation scientifique sous l'étiquette habilitation. Toutefois, sa validation empirique répétée nous assure de la justesse des rôles dégagés préalablement, à savoir ceux de protection, de soutien instrumental et de prévention des conflits.

L' amitié

Le volet *amitié* révèle que les membres se considèrent comme des amis de sorte que l'adhésion au groupe et l'engagement envers ses activités sociales sont absolument libres et volontaires. Les membres disent entretenir des relations caractérisées par l'intimité, le plaisir et une facilité de communication (respect et franchise). Dès lors, il est fort à parier que leur relation est empreinte d'attachement et de confiance mutuelle (Lortie *et al.*, 1995b).

Sous la variable **amitié**, on regroupe les critères suivants :

- expression d'amitié ;
- partage d'activités autres que le travail ;
- plaisir à fréquenter le groupe ;
- intimité et partage des émotions ;
- plaisir à participer aux activités du groupe ;
- respect et franchise ;
- adhésion volontaire.

Les relations amicales qui se développent entre les membres ont, elles aussi, été amplement documentées dans les écrits portant sur les groupes informels. Par ailleurs, il était difficile d'anticiper l'importance relative de ces relations pour les membres proportionnellement aux fonctions plus instrumentales remplies par le groupe. En effet, la relation d'amitié, prise isolément, qui unit les membres contribue cinq fois moins que le volet d'appui au travail dans l'explication du vécu au sein d'un groupe informel, tout en demeurant une dimension distincte et centrale de l'expérience groupale.

Les facteurs dégagés par nos analyses corroborent de façon assez évidente la bipolarité *finalité commune-relations* si souvent observée dans les groupes restreints (St-Arnaud, 1989). Toutefois, plutôt que de considérer la dimension relationnelle comme un préalable nécessaire aux échanges instrumentaux qui prennent part entre les membres, nous concevons que les membres de groupes informels sont interdépendants dans la poursuite et l'atteinte de deux cibles communes, soit la satisfaction de leurs intérêts à teneur plus instrumentale, d'une part, et la satisfaction de leurs besoins *relationnels*, d'autre part.

Les confirmations sur le terrain

Les groupes informels ont souvent eu mauvaise presse dans la documentation portant sur le management et la gestion d'entreprise. Pourtant, plusieurs études, ainsi que nos recherches, démontrent que la présence de groupes informels peut avoir plusieurs effets bénéfiques sur le fonctionnement de ces mêmes entreprises.

Il semble important que les dirigeants d'organisation posent un regard critique sur les groupes informels qui émergent dans leurs organisations. En effet, une gestion efficace des ressources humaines peut impliquer de tirer profit de ces dispositifs naturels de soutien qui, selon nos résultats empiriques, apportent beaucoup d'effets positifs aux membres qui en font partie.

Le groupe informel : un dispositif social facilitant l'adaptation au travail

Afin de faire face aux changements rapides qui ne cessent de ponctuer le marché du travail contemporain, la capacité de s'adapter vite et bien aux nouvelles conjonctures est devenue une condition de survie tant pour les organisations que pour leurs employés, surtout face à l'évolution technologique et à la poursuite de la performance. À cet égard, le groupe informel apparaît d'un précieux secours en facilitant l'adaptation et le bien-être de ses membres dans l'organisation.

Le groupe informel semble favoriser le bien-être de ses membres, lequel caractérise un état d'adaptation optimale. Déjà, en 1951, Trist et Bamfort observaient un lien entre le degré d'adaptation, la satisfaction au travail et l'appartenance au groupe informel. De même, Tannenbaum (1967) affirme que le fait d'entretenir plusieurs relations informelles favorise l'adaptation et le bien-être des travailleurs. Enfin, selon Lortie *et al.* (1995b), le groupe informel incarne autant une manifestation de l'autonomie des travailleurs par rapport à la structure formelle qu'une manière de s'y accommoder.

Les définitions de l'adaptation au travail présentées par nombre d'auteurs (Berlyne, 1965 ; Brunswick, 1943 ; Helson, 1964 ; Hettema, 1979 ; Lazarus, 1976 ; Moos, 1976 ; White, 1974) convergent toutes, à quelques détails près, vers la définition suivante : *l'adaptation est le résultat d'un processus relationnel continu par lequel l'individu tente de trouver une congruence entre sa personne (ses désirs, valeurs, besoins et aspirations) et les contingences de son environnement.* Ainsi, l'adaptation est comprise tant comme un processus que comme un résultat. La figure 3 présente ce processus.

FIGURE 3

Conceptualisation de l'adaptation

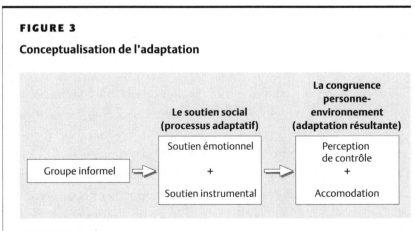

Source : Amiot *et al.*, 1998.

Abordée sous l'angle d'un processus, l'adaptation renvoie au maintien et, surtout, aux mouvements visant à rétablir l'équilibre et le bien-être de l'individu dans sa relation avec son environnement (Helson, 1964). Parmi les agents qui favorisent le processus d'adaptation des nouveaux employés dans une organisation figurent le soutien social et ses composantes émotives, instrumentales et informationnelles (Fisher, 1985). De plus, Parks (1986) note que le soutien social apporté par les groupes de pairs au travail stabilise les émotions des membres et leur assure une meilleure adaptation.

Le groupe informel constitue un véritable dispositif de soutien social au travail qui aide ses membres à affronter les exigences de leur environnement organisationnel. En effet, l'expérience groupale des membres de groupes informels se distingue par des relations d'amitié et d'appui au travail. Plus encore, la relation de confiance et de réciprocité qu'entretiennent les membres leur permet de trouver dans le groupe une réponse à leurs besoins émotifs et instrumentaux. D'autre part, l'adaptation comprise comme résultat s'observe par l'existence d'une congruence entre l'individu et son environnement (Berlyne, 1965 ; Brunswick, 1943 ; White, 1974). L'individu est alors aussi capable de s'accommoder aux exigences de son environnement que de le contrôler ou de le changer pour qu'il réponde à ses besoins (Lazarus, 1976 ; Moos, 1976). La perception d'être en mesure de faire des compromis pour répondre aux exigences de son environnement (l'accommodation) ainsi que la perception d'être capable de modifier celui-ci pour assurer son bien-être (la perception de contrôle) constituent donc deux indicateurs du niveau d'adaptation d'un individu.

Les membres de groupes informels rapportent une *congruence personne-environnement* globale et une *perception de contrôle sur l'environnement* significativement plus élevées que les membres d'autres groupes et que les non-membres d'un groupe. Ainsi, il apparaît que l'appartenance au groupe informel permet bel et bien aux travailleurs de se percevoir comme maîtrisant leur environnement et de présenter un degré d'adaptation plus élevé. Par ailleurs, on n'observe aucune différence significative entre les membres de groupes informels, les membres d'autres groupes et les non-membres quant à leurs capacités à s'accommoder aux exigences de l'environnement.

D'autre part, l'étude des corrélations existant entre le *soutien social* (*instrumental* et *émotionnel*) et la *congruence personne-environnement* (*perception de contrôle* et *accommodation*) révèle que le soutien social permet de prédire jusqu'à 20 % du degré d'adaptation atteint par les répondants. Afin d'explorer si les soutiens reçus par les membres de groupes informels et les membres d'autres groupes sont associés de façon différente aux degrés d'adaptation atteints, des analyses d'interaction ont été effectuées. Toutefois, ces analyses n'ont pas révélé d'effet d'interactions significatives. Aussi, on peut conclure que les soutiens reçus dans les groupes informels et dans les autres types de groupes déterminent de la même façon le degré d'adaptation atteint au travail. Il semble donc que c'est uniquement un plus fort soutien social du groupe informel qui prédit un plus haut degré d'adaptation atteint par ses membres.

En définitive, plus que tout autre membre de groupe, les membres de groupes informels bénéficient de soutien instrumental et émotionnel au travail. De même, ils se disent en mesure de s'accommoder aux exigences de leur travail de façon similaire aux autres travailleurs, ce qui constitue une donnée non négligeable si l'on considère les allégations voulant que les activités du groupe informel se fassent au détriment de l'efficacité et des objectifs organisationnels. En effet, même si le groupe informel se préoccupe essentiellement de ses membres, ceux-ci se disent tout aussi enclins à s'accommoder aux exigences de leur milieu de travail.

Enfin, les membres de groupes informels se distinguent par la perception d'être en mesure de contrôler et de modifier leur environnement de travail. Cette perception semble pouvoir s'expliquer par la nature des soutiens dont disposent les membres, dans la mesure où l'affection procurée par les membres de leur groupe leur permettrait de prendre conscience de leur valeur, d'accroître leur confiance en eux-mêmes et de chercher à occuper une position qui leur sied bien dans leur milieu de travail. De même, il est possible que l'information, le *feedback* et les connaissances partagées entre les membres les aident à mieux connaître, comprendre et répondre aux exigences de leur milieu de travail.

Le groupe informel : un dispositif social favorisant la gestion du stress

Faire partie d'un groupe semble constituer un moyen de diminuer le stress vécu par l'individu. À cet égard, des recherches dans le domaine de la psychologie communautaire suggèrent l'existence de liens entre le réseau personnel et la santé mentale.

Le stress au travail constitue une réalité à laquelle la plupart des travailleurs sont confrontés à un moment ou à un autre de leur carrière. Défini de façon opérationnelle, le stress occupationnel réfère à une situation ou à des facteurs liés à l'emploi (contexte, conditions) qui interagissent avec le travailleur de façon à modifier (en augmentant ou en diminuant) sa condition psychologique ou physiologique de telle sorte qu'il est contraint de dévier de son fonctionnement normal (Beehr et Newman, 1978). Le stress est susceptible de survenir chaque fois qu'il y a un déséquilibre entre les demandes de l'environnement et les ressources dont on dispose.

Selon la documentation scientifique, certaines caractéristiques de l'emploi constituent des antécédents du stress occupationnel, soit des *stresseurs* (agents générateurs de stress), alors que leurs conséquences s'expriment par des « tensions ».

Les *stresseurs* peuvent se présenter sous différentes formes, dont notamment *l'ambiguïté de rôle*, la *surcharge de travail* et le *conflit de rôle*. *L'ambiguïté de rôle* survient lorsque l'information disponible pour le poste que l'on occupe est inadéquate ou trop vague. Une *surcharge de travail* correspond à des demandes excessives, compte tenu des ressources (temporelles, matérielles, humaines, etc.). Enfin, un *conflit de rôle* renvoit à la perception d'incompatibilité ou d'incongruence face aux demandes auxquelles doit répondre le titulaire d'un poste. Ces trois types de stresseurs potentiels renvoient à des conditions évaluées subjectivement (contrairement à d'autres indicateurs objectifs) qui peuvent entraîner des conséquences négatives pour les individus qui éprouvent une pression intense ou prolongée (Holt, 1993).

D'autre part, les *tensions* peuvent s'exprimer psychologiquement, physiologiquement ou apparaître sous forme de symptômes comportementaux (Beehr et Newman, 1978; Savoie et Forget, 1983). Bien que les manifestations physiologiques et comportementales soient dignes d'intérêt, nos préoccupations de recherche se sont concentrées sur les répercussions psychologiques du stress au travail, soit l'anxiété, la dépression, l'irritabilité et les problèmes cognitifs associés à la détresse psychologique.

Grâce au soutien social qu'il fournit, le groupe informel pourrait jouer un rôle de tampon en atténuant les conséquences négatives des événements stressants. Il permettrait, entre autres, d'évaluer moins négativement les situations et de se sentir en sécurité quant à la disponibilité d'une aide (Guay, 1987). Bien qu'il diffère du réseau social à certains égards, le groupe informel présente des propriétés qui en font une source de soutien privilégiée en milieu de travail, comparativement aux autres formes de soutien accessible au sein et à l'extérieur du milieu de travail (ex.: couple, équipe de travail, unité). En effet, comme nous l'avons déjà mentionné, les membres de groupes informels sont disponibles et en mesure de comprendre et d'aider concrètement.

La notion de soutien social provient des premières réflexions de Cobb (1976; cité par Prévost, 1995) qui l'a définie comme l'information menant un individu à croire qu'il est aimé et apprécié, qu'il est un membre d'un réseau d'obligations mutuelles et qu'il est digne de recevoir de l'attention. Aujourd'hui, le soutien social est davantage perçu comme un concept multidimensionnel. Ainsi, Cutrona et Russel (1990; voir Baron *et al.*, 2001) lui attribuent cinq principales caractéristiques, soit:

- le *soutien émotif* par lequel l'individu sent qu'on s'occupe de lui et qu'il acquiert une plus grande sécurité affective;
- le *soutien d'estime* par lequel l'individu reçoit des *feedbacks* positifs qui alimentent son estime de lui-même;
- le *soutien d'information* permettant de résoudre certains problèmes précis;
- l'*aide tangible;*
- l'*intégration sociale.*

Comme nous l'avons présenté antérieurement, le groupe informel constitue un dispositif social de soutien des membres dont se dotent les travailleurs pour affronter les exigences de leur travail. Les fonctions qu'il remplit recoupent à plusieurs égards les dimensions du soutien social présentées par Cutrona et Russel (1990), ne serait-ce qu'en permettant aux membres de se sentir appréciés, d'obtenir des trucs et des informations rapidement, et de partager leurs préoccupations et leurs craintes dans un lieu agréable et non menaçant. Ainsi, le groupe informel apparaît susceptible de jouer un rôle dans la réduction du stress occupationnel. À cet égard, Tannenbaum (1967) observe que les travailleurs qui entretiennent beaucoup de relations informelles présentent un niveau plus faible de tension et donnent une plus grande impression de sécurité et de bien-être.

L'appartenance à un groupe informel peut avoir un effet sur la perception des facteurs stressogènes. Nos études (Marcil-Denault *et al.*, 1998) ont démontré que les membres de groupes informels présentent effectivement des symptômes de détresse psychologique significativement plus faibles que les non-membres. Les membres de groupes informels sont significativement moins enclins à vivre de l'anxiété, à se sentir déprimé, irritable et à souffrir de problèmes cognitifs.

D'autre part, lorsqu'on dégage avec plus de précision le rôle joué par le groupe informel dans la perception des *stresseurs* organisationnels, il ressort que les membres et les non-membres de groupes informels rapportent autant d'ambiguïté de rôle, de surcharge de travail et de conflit de rôle. Ainsi, l'appartenance au groupe informel modère non pas la perception des conditions de travail, mais plutôt leur impact sur le stress occupationnel.

Dans nos études, des corrélations significatives apparaissent entre les *stresseurs* et les symptômes de détresse psychologique pour l'ensemble des sujets, de sorte qu'il devient nécessaire de tenir compte de la relation *stresseurs-tensions* pour comprendre le rôle du groupe informel dans la détresse psychologique. Par conséquent, l'appartenance au groupe informel ne doit pas être considérée comme un déterminant direct du stress occupationnel de sorte que ses effets simples ne peuvent être interprétés directement.

En poussant plus à fond nos analyses, il nous est apparu possible de dégager que les membres de groupes informels connaissent effectivement moins de symptômes de détresse psychologique (anxiété, dépression, irritabilité et problèmes cognitifs) que les non-membres, mais uniquement lorsqu'ils sont aux prises avec un niveau élevé de *conflits de rôle*.

En fait, en tenant compte de l'interaction entre l'appartenance au groupe informel et le conflit de rôle, il devient possible de confirmer, du moins partiellement, l'hypothèse selon laquelle le groupe informel modère l'impact des *stresseurs* sur la tension vécue par les travailleurs. L'effet modérateur signifie qu'un niveau élevé de *stresseurs*, dans ce cas-ci le *conflit de rôle*, est plus dommageable (génère un niveau plus élevé de détresse psychologique) pour un non-membre que pour un membre de groupe informel.

Ainsi, les membres de groupes informels semblent davantage en mesure de tolérer d'importants conflits de rôle au travail, comme en témoigne le fait qu'ils manifestent moins d'anxiété, de symptômes de dépression, d'irritabilité ou des problèmes cognitifs que certains non-membres placés dans les mêmes conditions.

En définitive, le groupe informel semble avoir des incidences positives, mais limitées, sur le stress occupationnel. En effet, le groupe informel ne semble modérer que l'impact d'un *stresseur*, soit le *conflit de rôle*, sur le stress occupationnel. Ainsi, les membres de groupe informel rapportent significativement moins d'anxiété, de dépression, d'irritabilité et de problèmes cognitifs que les non-membres lorsqu'ils sont confrontés à beaucoup de demandes incohérentes et incompatibles dans l'exercice de leurs fonctions. À cet effet, il est possible que les membres de groupe informel bénéficient du contact de leur groupe pour valider leurs perceptions et interpréter les messages ambigus auxquels ils font face.

Par ailleurs, l'effet modérateur du groupe informel sur le stress occupationnel ne s'observe pas avec les *stresseurs* rattachés à *l'ambiguïté de rôle et la surcharge de travail*. De même, l'appartenance au groupe informel ne semble pas atténuer la perception des *stresseurs* environnementaux, de sorte que les membres rapportent autant d'ambiguïté de rôle, de surcharge de travail et de conflit de rôle que les non-membres. En effet, selon Cassel (1976), le soutien social peut permettre une diminution des symptômes de détresse psychologique (tensions) associés au stress, seulement lorsque le niveau des stresseurs atteindrait un certain seuil. Les individus ne vivant pas suffisamment de stress pour atteindre ce « seuil critique » ne présenteraient pas moins de symptômes, peu importe la quantité de soutien social perçue.

Ceci dit, le rôle que semble endosser le groupe informel dans la gestion d'importants conflits de rôle, auxquels peuvent être associés des impressions d'incongruence ou même d'aliénation pour certains travailleurs (l'impression de ne pas savoir ce qu'on fait et pour quelles raisons on le fait) rend on ne peut plus pertinente l'étude de l'impact possible de l'appartenance au groupe informel sur l'aliénation des travailleurs.

Le groupe informel : un dispositif social de réduction de l'aliénation au travail

L'aliénation peut être définie, selon Perreault *et al.*, (1998), comme l'état psychologique lié au fait de ne pas combler ses besoins intrinsèques en un milieu donné. Cet état est caractérisé par un continuel processus d'interaction entre les cognitions et les affects d'un individu.

Compte tenu de ses consonances idéologiques et historiques, la notion d'aliénation a été abordée par de très nombreux courants de pensées, que ce soit en philosophie, en psychologie, en sociologie ou en politique, de sorte qu'aucune définition simple ne permet d'en rendre pleinement compte.

Bien que l'aliénation soit devenue un phénomène « populaire » depuis la Révolution industrielle et l'application systématique des théories mécanistes sur le fonctionnement des organisations, ce phénomène est toujours présent dans les organisations et continue d'avoir des effets dommageables sur l'efficacité des entreprises et sur le bien-être des individus qui les composent. À cet effet, Ashforth (1994) note que l'aliénation vécue par un individu peut le conduire à quitter l'organisation ou encore à s'en retirer psychologiquement en se désintéressant de son travail, et en devenant par le fait même moins créatif et plus passif. De façon générale, l'aliénation au travail peut être envisagée selon deux grandes perspectives, soit l'approche objectiviste et l'approche subjectiviste (Dimitrova, 1994). La première porte sur les caractéristiques structurelles de l'emploi ou de l'organisation qui conduisent à l'aliénation. La seconde conçoit l'aliénation comme un état psychologique particulier et elle s'emploie à le décrire tel qu'il est vécu par la personne. C'est cette dernière perspective qui a été adoptée dans nos études en relation avec cette notion de groupes informels. Ainsi, nous abordons l'aliénation, dans cette section, selon une perspective psychosociologique visant à déterminer les facteurs psychosociaux permettant de prédire le niveau d'aliénation au travail.

L'état actuel des connaissances sur l'aliénation au travail donne à penser qu'elle constitue un construit multidimensionnel, plutôt qu'un concept unitaire. Selon Blauner (1964), il existe différentes formes d'aliénation au travail qui peuvent être plus ou moins présentes selon l'organisation du travail. Chacune de ces dimensions peut être évaluée au moyen de mesures subjectives, compte tenu qu'elles confèrent une mesure plus valide du niveau d'aliénation *vécu* par l'individu (Cummings et Manring, 1977).

Dans cette optique, Shepard (1972 ; 1973) propose cinq formes d'aliénation au travail : le *sentiment d'impuissance*, l'*incompréhension de l'emploi*, le *sentiment d'iniquité*, le *rôle instrumental de l'emploi* et l'*insignifiance de l'emploi*.

Le *sentiment d'impuissance* réfère à l'impression d'être régi par d'autres personnes ou par un système de production et, de façon plus large, à l'impression d'être privé de liberté, de pouvoir et de contrôle au travail. Afin de contrecarrer cette forme d'aliénation qui présente des effets désastreux sur la productivité, des programmes d'habilitation (*empowerment*) visant à accroître l'autonomie et le pouvoir des travailleurs sont aujourd'hui mis sur pied dans les organisations (Kanungo, 1992). L'*incompréhension de l'emploi* signifie textuellement la non-compréhension par le travailleur de la raison d'être de son emploi ou encore de la relation entre son propre travail et celui des autres travailleurs. Il va sans dire qu'une telle forme d'aliénation est susceptible d'entacher la motivation des travailleurs qui en souffrent (Hackman et Oldman, 1980).

Le *sentiment d'iniquité* désigne, selon Shepard (1972), la perception de l'absence de justice dans l'environnement organisationnel, plus particulièrement en regard des promotions ou de la rémunération. La *valeur instrumentale de l'emploi* réfère à la valorisation de l'emploi avec pour seule base les gratifications qu'il permet d'obtenir à l'extérieur de l'organisation. Enfin, l'*insignifiance de l'emploi* correspond au peu d'importance de l'emploi comme source d'autoévaluation, ainsi qu'à la faible influence des échecs et des succès au travail sur l'estime de soi. Ces deux dernières formes d'aliénation ont des conséquences néfastes sur l'implication au travail, c'est-à-dire la volonté de déployer des efforts considérables pour l'organisation (Porter *et al.*, 1974).

Le groupe informel :
un dispositif social de soutien social spécifique aux groupes informels

Bien que l'organisation et la nature du travail jouent un rôle prépondérant dans l'aliénation des travailleurs, certains facteurs psychosociaux comme l'appartenance à un groupe informel et l'expérience groupale caractéristique des groupes informels sont susceptibles d'en prédire les différentes formes.

D'abord, le soutien affectif et instrumental que les travailleurs trouvent dans le groupe informel apparaît susceptible d'atténuer l'aliénation qu'ils peuvent vivre au travail (Etzioni, Adler et Zeira, 1980 ; Walton et Hackman, 1986). Le soutien social conféré par le groupe informel apaiserait les membres qui sont exposés à des conditions de travail aliénantes et mettrait en échec jusqu'à un certain point leurs effets néfastes. À cet égard, Nightingale et Toulouse (1978) ont observé auprès d'une population québécoise qu'un climat de confiance entre collègues de travail et des encouragements peuvent amoindrir le sentiment d'aliénation. En ce sens, la documentation scientifique donne à penser que c'est l'expérience groupale particulière que connaissent les membres de groupes informels qui les protègent contre le sentiment d'aliénation.

Ainsi, l'expérience groupale typique des groupes informels semble constituer un prédicteur potentiel de l'aliénation. Or, il est possible que les membres d'autres types de groupes puissent connaître une expérience groupale similaire à celle des groupes informels. Aussi, il importe d'évaluer l'expérience groupale de tous les membres de groupe, de façon à observer si les membres d'une équipe, par exemple, pourraient connaître eux aussi un faible degré d'aliénation. Mais est-ce à dire que les travailleurs privés d'expérience groupale seraient condamnés à vivre davantage un sentiment d'aliénation ? Il semble que ce soit là l'opinion de Seeman (1959), Dean (1961), et Tannenbaum *et al.* (1974), pour qui le sentiment d'isolement social est une composante fondamentale de l'aliénation.

Les résultats de nos études (Rousseau *et al.*, 2001), démontrent que les membres de groupes informels vivent effectivement moins d'aliénation au travail que les non-membres de groupes informels sous la forme de « détachement émotif » et de « sentiment d'impuissance ». Ainsi, les membres de groupes informels se disent davantage attachés à leur emploi que les non-membres et ils ont moins l'impression de manquer de liberté ou d'être incapables de changer leur situation au travail. Le plus grand attachement psychologique des membres de groupes informels enregistré dans cette étude se trouve corroboré par les résultats de Perreault *et al.* (1998) qui indiquent que les membres de groupes informels apprécient davantage leur emploi pour les gratifications intrinsèques qu'il leur confère. Par ailleurs, aucune autre différence n'a été observée entre les membres et les non-membres de groupes informels sur les formes d'aliénation « incompréhension de l'emploi » et « sentiment d'iniquité ».

D'autre part, nous avons aussi observé (Rousseau *et al.*, 2001) des relations inverses significatives entre l'expérience groupale caractéristique des groupes informels et les deux formes d'aliénation que constituent le *détachement émotif* et l'*incompréhension de l'emploi* . Ainsi, il semble que plus les membres de groupes au travail, qu'ils soient informels ou non, rapportent une expérience groupale semblable à celle des groupes informels, plus ils se disent attachés à leur emploi et plus ils croient comprendre la raison d'être de leur emploi par rapport à l'emploi des autres travailleurs. Ainsi, de façon générale, plus les membres de groupe rapportent une expérience groupale semblable à celle des groupes informels, plus leur niveau d'aliénation globale est faible.

Mentionnons aussi que les résultats de nos études permettent de jeter un éclairage supplémentaire sur la relation existant entre l'aliénation et l'expérience groupales propres au groupe informel. En effet, ils indiquent de façon très intéressante que c'est le facteur « appui au travail », et non le facteur « amitié », qui a le plus d'impact sur l'aliénation vécue par les membres de groupes informels, ce qui n'est pas le cas pour les membres d'autres groupes. Ainsi, il est possible que les membres de groupes informels ou d'autres groupes accordent un sens différent au soutien instrumental apporté par leurs pairs. Les groupes informels se distinguant par un climat convivial, empathique et empreint d'entraide mutuelle, leurs membres pourraient avoir tendance à percevoir l'aide qu'ils y reçoivent comme étant désintéressée et altruiste. En ce sens, les membres de groupe informel ont véritablement l'impression qu'ils peuvent compter sur les autres membres, ces amis qui les supportent concrètement au travail.

Le groupe informel :
un dispositif social d'habilitation (empowerment) des membres

Nos études indiquent que l'appartenance au groupe informel n'est pas un déterminant de premier ordre dans la prédiction du niveau d'aliénation au travail, du moins sous toutes ses formes. Toutefois, son incidence sur le *détachement émotif* face à son travail et, par-dessus tout, sur le *sentiment d'impuissance* (Rousseau *et al.*, 2001) présente un intérêt certain pour la gestion des ressources humaines. En effet, en contrecarrant ces deux formes d'aliénation, le groupe informel semble en mesure d'accroître l'habilitation de ses membres (*empowerment*). Cette plus grande perception de contrôle s'avère elle aussi digne d'intérêt, puisqu'elle est intimement liée à l'habilitation (*empowerment*), bien sûr, mais aussi à un plus grand sentiment de maîtrise dans l'organisation. Attardons-nous un peu sur le concept d'habilitation ou d'*empowerment*, de façon à mieux le situer en relation avec les groupes informels. Morin définit l'*empowerment* comme le pouvoir d'agir avec autorité, c'est-à-dire l'habilitation des membres de l'équipe : « Pour être efficace, l'équipe

doit avoir le pouvoir de négocier des ententes et d'effectuer les ajuste-
ments requis pour accomplir son mandat» (1996, p. 361). Le mot *empowerment* a soulevé plusieurs débats épistémologiques et ontologiques
(Hardy et Leiba-O'Sullivan, 1997), sa signification étant tributaire du
sens accordé au mot pouvoir. Selon Thomas et Velthouse (1990) la signification épistémologique du mot *empowerment* s'emploie ici dans le
sens de «donner le pouvoir» afin de susciter la motivation intrinsèque
des subordonnés. Toujours pour Thomas et Velthouse, l'*empowerment*
est d'abord motivationnel, mais il est aussi relationnel. Motivationnel,
car il se centre avant tout sur l'individu et que son modèle est conforme
aux constats reconnus par la motivation intrinsèque (Tymon, 1988).
Relationnel, parce que son processus laisse une place à l'environnement
et aux interactions sociales dans lesquelles on retrouve les relations avec
les groupes informels.

L'habilitation des employés fait de plus en plus souvent l'objet de programmes dans les entreprises, compte tenu de ses impacts sur le rendement individuel et l'efficacité organisationnelle. En effet, les travailleurs
«habilités» semblent vivre plus sereinement les changements organisationnels, de même que certains stress liés au travail (Riggio, 1996). De
même, ils s'adapteraient plus facilement aux changements et seraient
plus susceptibles de persister dans une tâche en dépit des obstacles auxquels ils peuvent se buter (Conger et Kanungo, 1988; Block, 1987; cités
par Riggio, 1996). Toutefois, s'il existe plusieurs moyens d'habiliter les
ressources humaines, comme la gestion participative, la gestion par objectifs ou les programmes de partage de profits, ceux-ci peuvent s'avérer
fort coûteux pour les organisations. Dès lors, il pourrait être avantageux
pour les entreprises de favoriser l'existence et la multiplication de ces
regroupements qui, sans coût particulier, sont associés négativement aux
sentiments d'impuissance des salariés.

Bref, l'expérience groupale des membres de groupes informels étant
empreinte d'amitié et de soutien au travail, ceux-ci se sentent plus attachés psychologiquement à leur travail et sentent qu'ils bénéficient d'une
certaine liberté et d'un certain contrôle au travail. Ce sentiment d'impuissance significativement plus faible rapporté par les membres de

groupes informels soutient donc les résultats d'Amiot *et al.*, (1998) à l'effet que les membres de groupes informels se perçoivent davantage en mesure de contrôler ou de modifier leur situation au travail.

Mais comment le soutien social du groupe informel permet-il aux membres de se percevoir comme maîtrisant mieux leur environnement? de connaître une plus grande congruence personne-environnement? ou de ressentir moins de sentiments d'impuissance ou de détachement émotif que les autres salariés? Est-ce attribuable à une plus grande sécurité psychologique? au développement de *coping skills*? à la prise de conscience du pouvoir de son groupe dans la vie organisationnelle?... Le groupe informel donne-t-il effectivement un pouvoir aux membres, pouvoir qui puisse nuire au bon fonctionnement organisationnel?

Le groupe informel : un dispositif social normatif de régulation des membres

Dans leur étude classique sur le groupe informel, Roethlisberger et Dickson (1939/1967) ont constaté que des ouvriers avaient établi entre eux un taux informel de production et un code de discipline très sévère. Par exemple, si l'un des membres de l'unité de travail était trop productif selon ses pairs, il faisait l'objet de leurs sarcasmes, de la pratique du *binging* (pratique par laquelle le leader du groupe assène un violent coup de poing sur l'épaule du travailleur zélé de façon à ce qu'il ne puisse plus travailler aussi rapidement de ses mains), et — si ces mesures ne suffisaient pas à le dissuader — d'un rejet social généralisé. Ainsi, le travailleur zélé démissionnait souvent quelques semaines plus tard, incapable de supporter davantage un tel climat de travail. Il a aussi été observé que ces travailleurs avaient développé un système de représailles contre des superviseurs injustes, et un système de protection des membres contre la direction. Les chercheurs ont alors attribué ces conduites à l'appartenance au groupe informel dont les normes permettaient aux membres de se protéger et de s'opposer à la direction. L'intérêt des chercheurs américains pour les groupes informels semble donc être né de la menace que leurs normes semblaient constituer pour l'efficacité organisationnelle.

Des règles informelles régissent les relations interpersonnelles au travail (Henderson et Argyle, 1986). Celles-ci se développent et sont maintenues afin de permettre l'atteinte des buts et la satisfaction des besoins partagés par une collectivité d'individus (Argyle *et al.*, 1985). Répertoriées sous le vocable de *norme informelle*, ces règles de conduite constituent une dimension importante de l'influence sociale qui s'installe en milieu de travail (Morin, 1996).

La définition opérationnelle d'une *norme informelle* ne fait pas consensus dans la documentation scientifique, les auteurs anglo-saxons lui conférant des significations fort différentes. Sagie et Weisberg (1996) de même que Cooke et Rousseau (1988) définissent une norme comme un comportement qui semble attendu pour un membre de groupe, contrairement à un comportement posé *de facto* par tous. Baker (1981) considère une norme comme une entente entre les membres d'un groupe quant aux comportements que tous devraient observer. À l'opposé, Argyle *et al.*,(1985) définissent une norme comme un comportement adopté par plusieurs individus *hic et nunc*. Aussi, ces derniers auteurs préfèrent parler de règles de conduite pour faire référence aux croyances partagées ou aux standards d'approbation et de désapprobation sociale déterminant ce qui est attendu de chacun.

Ce manque d'homogénéité dans la définition opérationnelle des normes informelles peut être attribué à la nature même de la normalisation des conduites en groupe. En effet, à travers l'évolution d'un groupe se développent des « influences réciproques entre les membres qui visent, par la création de normes, l'uniformisation des conduites sociales » (Morin, 1996). Ainsi, il n'est pas rare que les normes ne soient pas pleinement partagées par tous les membres d'un groupe et qu'il n'y ait pas de modèle de conduite prescrit (Levine et Pavelchak, 1984). Sans doute les auteurs cités précédemment se sont-ils intéressés aux manifestations de l'influence sociale informelle telles qu'elles se présentent à différents stades d'évolution du groupe, décelant parfois des normes rigides et connues de tous les membres et parfois des modèles de conduite diffus auxquels ils adhèrent sporadiquement. Tous semblent toutefois s'entendre sur la présence d'attentes comportementales informelles façonnant les comportements individuels. Aussi, il semble plus prudent de croire que des attentes comportementales informelles sont partagées par les membres de groupes en milieu de travail, selon différentes intensités, sans nécessairement faire l'objet d'un consensus. De même, il apparaît pertinent d'attribuer le *statu quo* de normes aux attentes comportementales plus fortes, faisant l'objet d'impératifs ou de prescriptions, d'autant plus que leur non-respect est susceptible de mener à l'éclatement de la relation qui lie un membre et son groupe (Henderson et Argyle, 1986).

Jonhs et Nicholson (1985) avancent que les comportements sensibles à l'influence collective sont d'abord contrôlés par les normes des groupes informels, lesquelles se caractériseraient précisément par leur préséance sur les règles formelles (Goodman, Ravlin et Schminke, 1987). Cette influence considérable du groupe informel semble pouvoir être attribuée à la satisfaction de besoins individuels par le groupe et à la grande intimité qui lie les membres.

Nombre d'auteurs (Baker, 1981; Dalton, 1959; Farris, 1979; Hussein, 1989; Jourdain, 1988; Muti, 1968;) affirment que le pouvoir normatif du groupe informel se fonde sur sa capacité à satisfaire les besoins des membres qui sont laissés pour compte par l'organisation. Une déviation aux normes du groupe informel étant susceptible de conduire au rejet et au retrait de la satisfaction tant prisée de ces besoins, les membres de groupes informels seraient davantage portés à se plier à ses normes (Baker, 1981).

D'autre part, il a été démontré que les règles informelles prévalant dans les groupes ou dyades très intimes s'avèrent plus fortes et plus nombreuses lorsque les membres détiennent davantage d'informations compromettantes les uns par rapport aux autres (Argyle *et al.*, 1985). Ainsi, leur violation ferait place à l'expression d'un plus grand mécontentement par les membres, voire à la dissolution immédiate du groupe (Henderson et Argyle, 1986). En ce sens, si l'organisation formelle répond à une logique du coût et de l'efficacité, l'organisation informelle répondrait plutôt à la logique des sentiments et des besoins humains (Roethlisberger et Dikson, 1939/1967).

Le groupe informel incarne pour ses membres un dispositif naturel de soutien social, instrumental et politique (Lortie *et al.*, 1995a), de même qu'un dispositif de prévention des conflits (Spénard, 1992). En effet, les membres de groupes informels s'encouragent, s'écoutent et se soutiennent moralement dans leurs difficultés. Leurs relations leur conféreraient l'occasion de se détendre, d'avoir du plaisir et d'exprimer leurs émotions et leurs frustrations en toute sécurité (Burke, Weir et Duncan, 1976). Le groupe informel atténuerait les angoisses individuelles et les conséquences du climat de stress ambiant en permettant aux membres de symboliser les difficultés qu'ils partagent (Walton et Hackman, 1986 ; Baker, 1981). Le groupe informel remplit aussi une fonction d'entraide importante pour ses membres, laquelle revêt la forme d'échanges de services, de conseils, de renseignements privilégiés, etc. Lorsque les membres ont un service à demander, ils se tournent vers les membres de leur groupe qu'ils savent plus enclins et empressés à les aider (Lortie *et al.*, 1995a). Dalton (1959) observe d'ailleurs que les membres de cliques sont susceptibles de s'entraider au travail, d'échanger des faveurs et des informations privilégiées. Les groupes informels soutiennent et protègent leurs membres. Si l'un des leurs entre en conflit avec un collègue ou un supérieur, les autres l'épaulent, le réconfortent et appuient ses opinions (Lortie *et al.*, 1995a). Influençant ses membres en termes de rendement, de coopération ou de respect des règles formelles, le groupe informel détiendrait un certain pouvoir face à l'organisation (Strauss et Sayles, 1967 ; Walton et Hackman, 1986). Faisant office de contrepoids à l'autorité formelle, il s'avère d'un précieux secours pour les membres qui sont confrontés à des injustices (Baker, 1981 ; Dalton, 1959). La majorité des groupes informels ne connaissent pas de conflit prolongé ou non résolu entre leurs membres ou avec un tiers, pas plus d'ailleurs que des relations conflictuelles avec d'autres entités organisationnelles (Spénard, 1992). Pressentant ou prévoyant des frustrations possibles chez leurs pairs, les membres vont tenter d'intervenir de façon à étouffer les conflits avant qu'ils n'éclatent, faute de quoi ces derniers seront minimisés et réglés plus facilement (Lortie *et al.*, 1995a).

Enfin, le groupe informel constitue un outil pour contribuer positivement au changement organisationnel, le provoquer ou le bloquer (Dalton, 1959 ; Savoie, 1993). Percevant les groupes informels de travailleurs comme une source de résistance à la rationalisation de la production, Taylor préconisait d'ailleurs leur élimination (Bramel et Friend, 1987). Maintes études ne manquent pas de dépeindre les normes des groupes informels en des termes de résistance aux changements, d'opposition et de fomentation de problèmes dans l'organisation (Dalton, 1959 ; Hussein, 1989 ; Nelson, 1986 ; Roethlisberger et Dickson, 1939/1967 ; Strapoli, 1975).

Afin de comprendre comment les groupes informels développent et gèrent des normes de comportement dans leur milieu, nous avons voulu vérifier sur le terrain à l'aide d'un questionnaire demandant aux répondants d'indiquer si les comportements recensés font l'objet d'attentes comportementales, de normes prescriptibles ou de normes impératives dans leur groupe. Nos résultats démontrent que, le *soutien psychologique*, le *soutien dans la production*, la *régulation du climat socioaffectif* et le *maintien d'une relation de confiance* sont bien vus par les membres des groupes recensés, qu'ils soient informels ou non, alors que *la résistance aux changements et l'opposition à l'organisation* sont mal vues.

De plus, les membres de groupes informels disent entretenir essentiellement des attentes comportementales, et non des normes impératives auxquelles ils ne peuvent déroger. Par ailleurs, on observe que la *dimension soutien psychologique* constitue la seule dimension qui fasse l'objet de normes prescriptibles positives, les membres de groupes en milieu de travail percevant que leurs pairs veulent qu'ils les supportent. Ainsi, il apparaît que les membres de groupes informels en milieu de travail entretiennent des attentes comportementales qui ne s'opposent en rien au bon fonctionnement de leur entreprise. Qui plus est, la dimension *résistance aux changements et opposition à l'organisation* fait non pas l'objet de normes positives dans les groupes, mais bien d'attentes négatives, en ce sens que les membres perçoivent que leurs pairs s'attendent à ce qu'ils ne résistent et ne s'opposent pas à la direction.

Afin de vérifier si les membres de groupes informels entretiennent des attentes comportementales plus fortes que ne le font les membres de groupes non informels (comités, équipe de travail, *task force*), nous avons comparé les résultats venant de ces différents types de groupe. Nos résultats démontrent que les membres des groupes informels ne rapportent pas d'attentes comportementales significativement plus fortes que les autres types de groupes en regard du *soutien psychologique*, du *soutien dans la production*, du *maintien d'une relation de confiance* et de la *résistance aux changements et l'opposition à l'organisation*. Par ailleurs, il apparaît que les membres des groupes informels affirment partager des attentes de régulation du climat socioaffectif significativement plus fortes que les autres types de groupes.

Bref, depuis les études de l'Institut Tavistock de Londres et de l'usine *Western Electric* de Hawthorne, les normes des groupes informels semblent incarner la manifestation première du caractère imprévisible et incontrôlable des organisations. Seulement, la teneur et la force des attentes comportementales existant dans les groupes informels semblent avoir fait, jusqu'à ce jour, davantage l'objet d'observations non systématiques ou de spéculations que de véritables recherches empiriques. Nos études relèvent certaines dimensions normatives caractéristiques des groupes informels. Ces dimensions, différant sensiblement de celles qui sont suggérées par la documentation scientifique, se résument au *soutien psychologique*, au *soutien réciproque dans la production*, à la *régulation du climat socioaffectif*, et au *maintien d'une relation de confiance*. Ainsi, les attentes comportementales propres au groupe informel ne semblent pas servir des volontés contre-organisationnelles, voire maléfiques. Qui plus est, nos résultats montrent que les membres des groupes informels entretiennent essentiellement des attentes comportementales, et non des normes impératives auxquelles les membres ne peuvent déroger. De même, l'intensité perçue des attentes de *soutien psychologique*, de *soutien dans la production* et de *maintien d'une relation de confiance* ne diffère pas significativement de celles d'autres groupes. Enfin, les membres de groupes informels affirment ne pas entretenir de normes impératives de résistance et d'opposition à l'organisation. Au contraire, les membres des groupes informels perçoivent plutôt que leurs pairs s'attendent à ce qu'ils n'agissent pas de la sorte. Ainsi, la prépondérance des groupes informels comme pôles d'influence sociale en milieu organisationnel est loin d'apparaître de façon probante dans cette étude.

Cela dit, il est intéressant de constater que le groupe informel se distingue au plan normatif non pas par le soutien qu'il confère à ses membres, mais plutôt par l'importance accordée à la qualité du climat du groupe. D'autre part, on constate que les trois dimensions normatives — le *soutien psychologique*, le *soutien réciproque dans la production* et la *régulation du climat socioaffectif* —, les plus fortement corrélées et les plus solides au plan psychométrique, présentent des similarités frappantes avec les trois processus propres aux groupes restreints décrits par St-Arnaud (1978). Ces trois dimensions normatives mesurées dans les groupes en milieu de travail québécois semblent présenter des indices de validité convergente avec les processus de *production*, de *solidarité* et d'*autorégulation*. Ce constat est d'autant plus digne d'intérêt que, selon St-Arnaud, le processus d'*autorégulation* instauré dans un groupe permet aux membres d'affronter avec plus d'aisance les obstacles qui surgissent inévitablement et qui sont des freins à l'atteinte de leurs objectifs instrumentaux ou socioémotifs. En ce sens, il serait pertinent de vérifier ultérieurement si les groupes informels n'incarneraient pas un dispositif naturel d'autorégulation pour les organisations, permettant aux membres — soit bon nombre de travailleurs — de lever ou d'atténuer l'impact des obstacles qui se présentent à eux et qui les empêchent de mieux faire leur travail et de mieux se sentir dans leur milieu de travail.

En définitive, il se dégage de nos études que l'influence délétère du groupe informel et sa réputation de trouble-fête dans l'organisation, telles que décrites dans la documentation scientifique, semblent surfaites, du moins dans les organisations que nous avons étudiées. Un bémol se doit d'être toutefois posé sur le degré de certitude qu'il faut entretenir à l'égard de la force des attentes comportementales recensées. En effet, il apparait que l'efficacité des normes se mesurerait précisément par le fait que ces dernières sont à ce point intégrées dans les schémas comportementaux que les membres s'y conforment sans même concevoir qu'ils pourraient agir différemment (Baker, 1981; Morin, 1986). En ce sens, il est possible que les normes recensées soient plus puissantes que ce qu'indiquent nos résultats.

Le groupe informel : un dispositif social politique ?

Le rôle et l'influence du groupe informel dans l'organisation conduisent à ce qu'on le considère comme étant aussi, sinon plus important, que le groupe formel (Maillet, 1988). Pouvant servir de contrepoids à l'endroit de la direction de l'entreprise (Baker, 1981), il n'est pas surprenant d'observer que certains auteurs recommandent la formalisation du groupe informel afin de garantir la convergence entre ses objectifs et ceux de l'organisation. Dans ce sens, le groupe informel doit servir les intérêts de l'organisation formelle (Baker, 1981; Dalton, 1959; Farris, 1979; Hussein, 1989; Muti, 1968; Savoie, 1993; Scott, 1981). Jugé indispensable au bon fonctionnement de l'organisation (Lincoln, 1982; cité dans Ibarra, 1992), le groupe informel, en tant que structure informelle est, selon Strapoli (1975) considéré plus puissant que sa contrepartie formelle.

Kipnis, Schmidt et Wilkinson (1980), précisent que l'organisation est un lieu où les jeux d'influence sont incessants. Les comportements des individus au travail ont souvent une valeur stratégique puisque chacun tente d'obtenir des avantages ou encore de l'information privilégiée. Chaque travailleur cherche aussi une occasion qui lui permette de se faire valoir, de profiter d'une plus grande marge de manœuvre ou encore d'être en mesure d'obtenir la collaboration des individus qu'il côtoie au travail en fonction de ses besoins ou de ses responsabilités. Non seulement l'appartenance au groupe informel constitue une source de pouvoir pour l'individu, mais, en raison de la nature politique qui découle de sa mission de défense des intérêts de ses membres, elle contribue à l'accroissement de la fréquence de leurs comportements d'influence au travail. Ainsi, lorsque comparés avec des individus qui ne font pas partie de ce type de regroupement, les membres des groupes informels devraient normalement recourir davantage à des tactiques d'influence au travail. Comme nous le verrons dans ce qui suit, le rôle politique des groupes informels est assez mitigé.

Selon Labrie (2000), le pouvoir, en tant que phénomène organisationnel, se définit comme la capacité d'un individu ou d'un groupe d'influencer le vécu organisationnel en fonction de ses objectifs à partir des ressources à sa disposition, lesquelles sont déterminées par l'appartenance de l'individu ou des membres du groupe à des réseaux (formels ou informels). Puisque le groupe informel existe pour satisfaire les besoins de ses membres, nous considérons que cette intention des membres du groupe d'intervenir au plan des facteurs qui conditionnent leur existence est le fondement du pouvoir et de l'influence.

Nous sommes allés sur le terrain afin d'étudier cette problématique. L'étude de l'exercice du rôle politique du groupe informel et de son impact a été entreprise par l'analyse de la fréquence des comportements d'influence de 180 travailleurs, parmi lesquels 155 individus déclaraient appartenir à un type de regroupement quelconque au travail (Labrie, 2000). Parmi ces 155 répondants, 122 participants faisaient partie d'un groupe informel tandis que 33 d'entre eux étaient membres d'un autre type de groupe (par exemple équipe de travail, comité). Chez les individus qui appartenaient à un groupe informel, on identifiait 54 membres de groupes informels horizontaux et 68 membres de groupes informels verticaux. Soulignons que la mesure des conduites individuelles d'influence a été faite au moyen d'items provenant des échelles du *Profile of Organizational Influence Strategies* développé par Kipnis *et al.* (1980), ainsi que d'items provenant des échelles du *Influence Behavior Questionnaire* élaboré par Yukl, Lepsinger et Lucia (1992).

Les résultats n'indiquent aucune différence entre les membres et les non-membres des groupes informels quant aux rôles politiques qu'ils pourraient jouer. Ceci pourrait donc suggérer que les groupes informels ne visent pas *de facto* à jouer un rôle politique dans l'organisation. Les évènements organisationnels pourraient peut-être les inciter, à un moment donné, à adopter une telle position. Nous avons poursuivi nos analyses en comparant les résultats de nos groupes informels avec l'ensemble des autres répondants toutes appartenances confondues, nous observons que les membres des groupes informels sont différents des travailleurs n'appartenant pas à un groupe informel en ce qui concerne les comportements associés à l'affirmation de soi au travail. Les membres de groupes informels en milieu de travail expriment un peu plus souvent leur mécontentement de façon verbale que les autres travailleurs. Ils ont aussi tendance à dire un peu plus fréquemment leur façon de penser. De même, les membres de groupes informels vont se montrer plus directifs que les non-membres en formulant un peu plus souvent des exigences ou en fixant des échéances pour influencer quelqu'un au travail. L'écart relevé entre ces deux catégories de répondants peut s'expliquer à la lumière des fonctions internes du groupe informel en milieu de travail. Tel que nous l'avons vu précédemment, les membres de groupes informels déclarent bénéficier davantage d'amitié et d'entraide au travail que les non-membres. Le groupe procure amitié, sécurité et protection à ses membres. Dans ce sens, le sentiment de sécurité qui habite l'individu et qui résulte de son appartenance au groupe peut l'inciter à faire preuve de moins de retenue quant à la verbalisation de ses opinions (Labrie, 2000). Se sentant davantage protégé devant l'émergence d'un conflit et comptant sur l'amitié qui l'unit aux membres du groupe, le travailleur qui fait partie d'un groupe informel peut être plus franc et direct dans ses interactions avec les individus qu'il côtoie au travail. Du point de vue empirique, ce type de soutien social et instrumental a tout d'abord été mis en évidence lors des observations effectuées à l'usine de Hawthorne par Roethlisberger et Dickson (1939/1967) et plus tard lors des travaux réalisés par Dalton (1959).

Au niveau de la structure hiérarchique des groupes informels, nos observations indiquent que les membres de groupes informels *horizontaux* tendent davantage à mobiliser leurs collègues de travail pour arriver à leurs fins que ne le font les membres de groupes informels *verticaux*.

En ce qui concerne la réaction face aux changements organisationnels, nos résultats (Labrie, 2000) démontrent que les membres des groupes informels se distinguent des membres des autres types de groupes surtout en termes de solidarité et de d'entraide mutuelle qu'accorde le groupe lorsque de nouvelles situations surviennent au travail. En situation de changement, le groupe informel semble soutenir davantage ses membres que ne le font d'autres types de regroupements. Ainsi, contrairement à la croyance populaire, les groupes informels ne s'opposent pas aux changements. Le groupe informel semble plutôt adopter une position voisine de celles des équipes, des comités ou d'autres genres de regroupements dans l'organisation lorsque surviennent des changements dans les façons d'effectuer le travail : le groupe informel ne s'oppose pas à l'innovation, bien au contraire. Il faciliterait plutôt l'adaptation de ses membres à l'endroit des nouvelles exigences introduites par le changement.

Le groupe informel :
un dispositif social favorisant la satisfaction et l'engagement

Nous avons aussi cherché à savoir si l'existence de groupes informels pouvaient avoir un lien avec la satisfaction au travail et les conduites d'investissement au travail, telles que l'implication à l'emploi et l'engagement envers l'organisation (Courcy *et al.*, 1998). Par satisfaction au travail, on entend un état émotionnel positif résultant de l'évaluation de son travail et des expériences qui y sont vécues (Dunnette, 1976). Il s'agit donc d'une mesure du degré à partir duquel un employé est bien dans son travail. Un lien positif a déjà été démontré dans certaines recherches (Mortimer et Lorence, 1989 ; Cheloha et Farr, 1980) entre la satisfaction et l'implication au travail. On dit d'une personne qu'elle est impliquée dans son travail lorsqu'elle le prend au sérieux, quand elle est mentalement préoccupée par celui-ci et lorsqu'elle le considère comme une partie importante de sa vie. Par conséquent, ses humeurs et ses sentiments sont également susceptibles d'être significativement affectés par les expériences vécues dans son emploi. Les membres d'un groupe informel pourraient être plus impliqués dans leur travail, sur la base d'une plus grande satisfaction. Dans le même ordre d'idées, des études (Cook et Wall, 1980 ; Scott et Wimbush, 1991) ont aussi montré un lien positif entre la satisfaction et l'engagement organisationnel. L'engagement organisationnel fait référence à l'attitude des employés à l'égard de l'organisation entière. Il peut donc être défini comme la volonté d'investir des efforts personnels en tant que membres de l'organisation et pour le bien de cette dernière. D'autres études (Razza, 1993 ; Mobley *et al.*, 1978) ont aussi démontré qu'il existe des relations entre la satisfaction au travail et l'intention de quitter l'organisation. Nos études indiquent que les membres d'un groupe informel ne se différencient pas des non-membres en ce qui concerne la satisfaction au travail. Cependant, lorsque l'on précise l'insatisfaction au travail comme un écart entre les attentes initiales lors de l'embauche et la réalité de l'emploi, les membres d'un groupe informel sont significativement plus satisfaits de leur travail que les non-membres. Le groupe pourrait, de façon hypothétique, jouer un rôle dans l'acceptation des conditions réelles de l'emploi en offrant un certain soutien à ses membres. Le fait de se retrouver avec des individus dans la même situation pourrait avoir comme effet de diminuer l'écart entre nos attentes initiales et la réalité de l'emploi. De plus, si l'on fait la distinction entre l'expérience vécue dans le travail et celle vécue au sein du groupe informel, il est possible que l'expérience positive vécue au sein du groupe informel puisse réduire ou modérer l'insatisfaction au travail. Ainsi, d'après nos résultats, les membres des groupes informels éprouvent une satisfaction au travail supérieure à celle des non-membres.

D'autre part, l'appartenance à un groupe informel ne semble pas avoir d'influence sur l'implication vécue au travail. Cette variable est peut-être davantage déterminée par des caractéristiques personnelles des employés ou de l'organisation, qui sont extérieures à l'expérience groupale. L'appartenance au groupe informel, selon nos études, ne semble pas non plus être liée à l'engagement des employés envers l'organisation. Les organisations n'ont donc pas à craindre de voir l'implication et l'engagement de leurs travailleurs modifiés par ce type de regroupement.

Finalement, les membres de groupes informels éprouvent moins le désir de laisser leur travail que ne le ressentent les non-membres, mais les principaux déterminants de cette intention sont cependant la satisfaction et le soutien social, et non l'appartenance proprement dite.

Le groupe informel :
un dispositif social favorisant le sentiment de maîtrise dans l'organisation

Les résultats que nous venons de présenter dans ce chapitre montrent que l'appartenance au groupe informel contribue au bien-être de ses membres en atténuant le stress occupationnel (Marcil-Denault *et al.*, 1998; Aubé *et al.*, 2000) et le sentiment d'aliénation au travail (Perreault *et al.*, 1998; Rousseau *et al.*, 2000), de même qu'en augmentant leur degré d'adaptation (Amyot *et al.*, 2000). Dans ces trois cas, on attribue les effets bénéfiques du groupe informel aux différents types de soutien qu'il procure à ses membres. Or, on comprend encore mal ce que génère le soutien social chez ceux qui en bénéficient. En effet, selon Cohen et Syme (1985) et Thoits (1995) les facteurs de protection de la santé mentale issus du soutien social sont peu connus.

Aussi, il apparaît impératif (Boudrias *et al.*, 2001) d'explorer, parmi les résultantes possibles du soutien social issu du groupe informel, les cognitions qu'il peut générer en milieu organisationnel, soit le sentiment de maîtrise dans l'organisation et ses dimensions. Bien qu'initialement on ait envisagé d'évaluer le sentiment d'efficacité organisationnelle (Bandura, 1977), l'emploi de cette mesure a finalement été écarté. Ce construit étant généralement orienté vers une tâche spécifique, il n'aurait pas permis de mettre en évidence les propriétés adaptatives du groupe informel pour ses membres, lesquelles ne se limitent et ne se centrent pas sur la réalisation des tâches prescrites de l'organisation.

Le sentiment de maîtrise dans l'organisation (SMO) comprend trois dimensions : la *compréhension*, la *prévisibilité* et le *contrôle.* Postulant que les travailleurs cherchent à donner un sens à leur environnement de travail et à anticiper les possibilités et les dangers qu'il présente (voir figure 4), Sutton et Khan (1986) ont proposé l'étude de ces trois variables afin d'explorer leurs effets potentiellement bénéfiques sur le stress organisationnel. Selon eux, le sentiment d'être en mesure de comprendre et de prévoir les événements significatifs dans l'organisation réduirait le stress vécu au travail. De même, le sentiment de pouvoir exercer une influence effective sur les événements, les choses et les personnes pourrait également contribuer au bien-être dans l'organisation.

FIGURE 4

Conceptualisation du rôle joué par le groupe informel dans le processus d'adaptation et le bien-être de ses membres

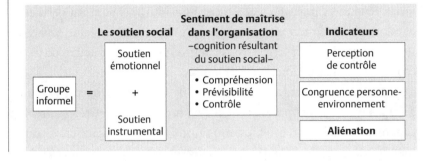

Conceptuellement, le sentiment de maîtrise dans l'organisation présente d'importantes similitudes avec l'habilitation psychologique (*psychological empowerment*) (Thomas et Velhouse, 1990 ; Zimmerman, 1995), un processus par lequel les individus créent ou se voient donner l'opportunité de contrôler leur propre destinée et d'influencer les décisions affectant leur vie, tel que nous l'avons vu précédemment.

Selon Zimmerman, l'habilitation psychologique se constitue de composantes personnelles, interactionnelles et comportementales. Un travailleur «habilité» à ces trois niveaux entretient le sentiment qu'il a la capacité d'influencer son environnement (composante personnelle), comprend le fonctionnement de ce même environnement (composante interactionnelle) et s'engage dans des comportements pour y exercer du contrôle (composante comportementale). Ainsi, la dimension interactionnelle de l'habilitation incarne la compréhension détenue par l'individu des leviers environnementaux pouvant moduler ses efforts pour exercer du contrôle dans son environnement sociopolitique (maîtrise environnementale). Conformément à cette conceptualisation de l'habilitation, la dimension *contrôle* du sentiment de maîtrise dans l'organisation relève de la composante personnelle, tandis que les dimensions *compréhension* et *prévisibilité* se situent au niveau de la composante interactionnelle.

Plusieurs observations théoriques ou empiriques laissent entendre que le groupe informel pourrait s'avérer un des dispositifs informels favorisant le sentiment de maîtrise dans l'organisation. Selon Lortie *et al.*, (1995a) notamment, les groupes informels s'avèrent des acteurs efficaces dans l'interprétation et le contrôle, au niveau local, des bouleversements (technologiques, culturels, politiques) vécus dans les organisations. De façon générale, l'appartenance à un groupe informel pourrait permettre à ses membres d'interpréter (comprendre et prévoir) la réalité organisationnelle et d'utiliser les moyens du groupe afin de mieux contrôler (contrôle) leur situation dans l'organisation.

Grâce au soutien informationnel qu'ils se donnent, les membres de groupes informels apparaissent plus en mesure d'interpréter la réalité organisationnelle. En effet, comme nous le savons, ceux-ci se transmettent des renseignements et s'échangent des conseils utiles à la prise de décision et à la résolution de problème (Spénard, 1992 ; Lortie *et al.*, 1995b). De même, les membres discutent de leur situation au travail, des développements à venir et des événements passés (Lortie *et al.*, 1995b), leur permettant ainsi de donner un sens à une réalité organisationnelle souvent complexe et empreinte d'ambiguïté. Par le *feedback* reçu des autres membres, l'individu serait en mesure de circonscrire de façon plus adéquate sa situation, ses possibilités et ses limites au sein de l'organisation. Plus disponibles que dans les autres types de groupes, les membres de groupes informels seraient plus disposés à prendre du temps pour parler ouvertement d'une situation vécue par un autre membre, le conseiller ou l'aider dans ses difficultés.

Nos observations, faites sur le terrain (Boudrias *et al.*, 2001), indiquent que les membres de groupes informels se sentent significativement davantage en mesure de *comprendre* et de *prévoir* les événements qui surviennent dans leur organisation que les membres d'autres groupes. Par ailleurs, les membres de groupes informels ne se distinguent pas par le sentiment d'être en mesure de contrôler leur situation au travail. En effet, la dimension *contrôle* est liée de façon beaucoup plus marquée au niveau hiérarchique occupé par le membre.

Dans un autre ordre d'idées, il apparaît que le sentiment de maîtrise dans l'organisation est lié à certains indicateurs du bien-être dans l'organisation. En effet, le sentiment de maîtrise dans l'organisation apparaît positivement lié au degré d'adaptation atteint au travail. De même, il est associé négativement à l'aliénation, un lien analogue à ce qui a été découvert dans des recherches sur l'habilitation psychologique (Zimmerman et Rappaport, 1988; Zimmerman, 1990). Toutefois, le sentiment de maîtrise organisationnelle n'est pas associé à la détresse psychologique, ce qui pourrait s'expliquer par le fait que l'indice de détresse psychologique évalue le bien-être général des travailleurs, tandis que les deux autres évaluent davantage leur bien-être organisationnel. Les conditions de bien-être associées au sentiment de maîtrise organisationnelle semblent donc être spécifiques à l'environnement de travail. Ainsi, comme l'habilitation psychologique (Spreitzer, 1995b; Zimmerman, 1990), le sentiment de maîtrise organisationnelle ne serait pas un construit global généralisable à différentes sphères de vie. Quoi qu'il en soit, la force des corrélations existant entre le soutien social, le sentiment de maîtrise, l'adaptation (congruence personne-environnement) et l'aliénation soutiennent le modèle conceptuel proposé à la figure 4.

Comparativement aux membres d'autres groupes, les membres de groupes informels se perçoivent davantage en mesure de comprendre et de prévoir les événements significatifs dans l'organisation. Ainsi, le soutien offert par les groupes informels permettrait aux membres d'acquérir une plus grande maîtrise de leur environnement (Zimmermann, 1995) que les travailleurs intégrés à d'autres types de groupes. Par contre, ce même soutien n'amène pas les membres à se percevoir davantage en mesure de contrôler leur situation au travail que les membres d'autres groupes.

Ainsi, l'apport des groupes informels en ce qui concerne le sentiment de maîtrise réside davantage dans l'interprétation de la réalité organisationnelle que dans l'action concertée afin d'assurer aux membres plus de contrôle sur leur situation au travail. Ce portrait du groupe informel correspond à plusieurs égards à la *clique aléatoire* décrite par Dalton (1959), où les travailleurs s'associent, non pas pour augmenter leur influence dans l'organisation, mais pour échapper à la confusion qu'ils perçoivent dans leur milieu de travail. Bref, les gestionnaires devraient se réjouir de constater que l'appartenance au groupe informel est associée à un sentiment de maîtrise supérieur dans l'organisation, sans pour autant impliquer une recherche de moyens visant à augmenter le pouvoir des membres dans l'organisation, tel que présenté auparavant.

L'*accès à l'information*, une autre variable que nous avons relevée et qui sera présentée plus en détail dans le chapitre suivant, présente de fortes corrélations avec les dimensions du sentiment de maîtrise. En effet, l'*accès à l'information* semble prédire jusqu'à 37 %, soit plus du tiers du sentiment d'être en mesure de prévoir les événements qui surviennent au travail. Pour les gestionnaires et les administrateurs, il est important de souligner que le sentiment de maîtrise organisationnelle des travailleurs est malléable. Celui-ci peut notamment être modulé en faisant varier les caractéristiques de l'environnement organisationnel. Entre autres, l'accès à l'information dans l'organisation semble avoir un impact psychologique important chez les travailleurs, comme le montrent ses fortes associations avec les dimensions du sentiment de maîtrise organisationnel. Ces résultats confirment l'intuition de Sutton et Khan (1986) qui, afin de rendre l'environnement organisationnel plus compréhensible, prévisible et contrôlable pour les travailleurs, encouragent les gestionnaires à reconnaître la fonction informative de l'organisation informelle et à diffuser généreusement l'information organisationnelle. Dans le même sens, Spreitzer (1995a) observe que l'accès à l'information sur la mission de l'organisation (accès à l'information stratégique, compréhension de la vision et des buts organisationnels) est un antécédent à l'habilitation psychologique.

À la lumière de nos analyses tant qualitatives que quantitatives, la raison d'être des groupes informels s'apparente à un désir de mieux-être et de mieux faire au travail. Une atmosphère agréable, en compagnie de personnes avec qui l'on peut exprimer ses aspirations, ses émotions et ses frustrations sans crainte, voilà ce que semblent chercher les membres. L'accès à une source fiable d'information, de ressources, de contacts et la disponibilité d'appuis et de soutiens sûrs au travail s'ajoutent à ces incontournables motivations. En ce sens, Baker (1981) semble avoir eu on ne peut plus raison d'affirmer que le groupe informel répond à des besoins non satisfaits par l'organisation, lesquels se cristallisent autour de la notion de qualité de vie au travail, c'est-à-dire évoluer dans un milieu où l'on peut avoir du plaisir, apprendre, faire des erreurs, exceller ou se défouler, tout en étant accepté et soutenu.

Contrairement aux maintes études qui dépeignent les groupes informels en des termes de résistance aux changements, d'opposition et de fomentation du trouble dans l'organisation (Dalton, 1959; Roethlisberger et Dickson, 1939/1967; Strapoli, 1975; Nelson, 1986; Hussein, 1989), rien de tel n'a été recensé. En fait, aucun des répondants de l'étude de Spénard (1992) n'a reconnu au groupe le pouvoir de modifier la structure formelle de l'organisation. Qui plus est, selon les répondants de Lortie *et al.* (1995a), il serait peu fréquent que les groupes informels exercent quelque influence que ce soit sur l'organisation, sa structure et son fonctionnement, les seuls cas rapportés étant ceux dans lesquels le poste même des membres du groupe autorisait formellement une telle influence.

De fait, nos résultats nous conduisent à considérer le groupe informel comme une expression des intérêts, des aspirations ou des besoins personnels des travailleurs. Par le soutien qu'il fournit, il permet à ses membres de réduire l'inévitable écart entre leurs besoins ou leurs intérêts personnels et ceux de l'organisation. Les échanges entre les membres leur permettent de connaître, de comprendre et de répondre aux exigences de leur milieu de travail. Dès lors, le groupe informel semble incarner un moyen dont se dotent les membres pour affronter les exigences du travail, faisant ainsi figure de dispositif naturel de soutien des membres au travail. En effet, par le soutien social, instrumental et politique qu'il confère aux membres, le groupe informel semble agir comme un contrepoids aux sentiments d'aliénation et d'impuissance que peuvent éprouver les travailleurs, de sorte que ces derniers arrivent à tenir le coup dans l'incertitude.

Bref, l'émergence des groupes informels apparaît comme une manifestation de l'autonomie des individus par rapport à la structure formelle, tout comme elle incarne — paradoxalement — une façon de s'y accommoder. En effet, si le groupe informel existe en marge du cadre prescrit de l'organisation, il n'en demeure pas moins un dispositif permettant à ses membres de composer avec les contraintes inhérentes à la structure formelle et surtout avec les diverses contraintes psychologiques, sociales, techniques et administratives liées à l'accomplissement de leur rôle dans l'organisation. En contribuant à redéfinir les conditions dans lesquelles s'effectue le travail quotidien, le groupe informel semble redéfinir, par le fait même, les contraintes à l'action des travailleurs. En ce sens, on peut voir dans le groupe informel — comme dans les réseaux informels — une force restructurante et réorganisatrice qui apporte une certaine flexibilité là où les conduites prescrites sont trop rigides (Lemoine, 1995).

Le groupe informel joue un rôle beaucoup plus positif au plan organisationnel que l'on pourrait être porté à le croire au départ. Contrairement à l'école classique des organisations qui postule le rôle négatif de tels groupes, nos observations démontrent que les groupes informels n'ont pas, *a priori*, d'orientations contre-organisationnelles. Certes, les conflits entre les cliques ou les clans suscitent beaucoup d'intérêt, mais ils ne sont pas aussi fréquents que l'on pourrait le croire. Les groupes informels jouent surtout un rôle important en ce qui a trait à l'adaptation et au sentiment de maîtrise des membres au plan organisationnel. Ces groupes constituent des alliés importants pour la direction d'une organisation lorsque celle-ci doit entreprendre des changements importants. Plutôt que d'essayer de les combattre, les organisations ont intérêt à les inclure à l'intérieur même de leur culture organisationnelle puisque, de toute façon, il est presque impossible d'empêcher leur formation et leur développement.

RÉSUMÉ

➢ Le groupe informel peut être vu comme un dispositif naturel de soutien social, instrumental, politique et de prévention des conflits.

➢ Une fonction clé des groupes informels consiste à tester et à définir la réalité sociale de ses membres.

➢ Deux facteurs bien distincts apparaissent au cœur de l'expérience groupale des membres de groupe informel dans nos recherches : l'amitié et l'appui au travail.

➢ Le groupe informel semble favoriser le bien-être de ses membres, lequel caractérise un état d'adaptation optimale.

➢ L'appartenance au groupe informel permet aux travailleurs de se percevoir comme étant plus en contrôle de leur environnement.

➢ Le groupe informel offre un soutien instrumental et émotionnel à ses membres au travail.

➢ Le groupe informel démontre des incidences positives sur le stress causé par un conflit de rôle au travail.

➢ Les membres de groupes informels vivent moins d'aliénation au travail que les non-membres en matière de détachement émotif et de sentiment d'impuissance.

➢ Les membres de groupes informels apprécient davantage leur emploi pour les gratifications intrinsèques qu'il leur apporte.

➢ Les membres des groupes informels se perçoivent comme étant davantage en mesure de contrôler ou de modifier leur situation au travail. L'appartenance à un groupe informel aurait donc un effet sur le degré d'*empowerment* de ses membres.

➢ Les membres des groupes informels développent des normes de travail qui ne s'opposent pas, de prime abord, au bon fonctionnement de leur entreprise.

➢ Les membres des groupes informels ne se voient pas, *a priori*, comme une source de contre-pouvoir face à leur organisation.

➢ Lors de changements organisationnels, le groupe informel semble soutenir davantage ses membres que ne le font d'autres types de regroupements. Contrairement à la croyance populaire, les groupes informels ne s'opposent pas aux changements.

➢ Les membres de groupes informels sont plus satisfaits de leur travail que les non-membres.

➢ Les membres d'un groupe informel ne se distinguent pas des non-membres par leur implication et leur engagement organisationnel. Par contre, l'appartenance à ce type de regroupement différencie les individus quant à leur intention de quitter leur emploi.

➤ Grâce au soutien informationnel qu'ils se donnent, les membres des groupes informels apparaissent plus en mesure d'interpréter la réalité organisationnelle.

➤ L'apport des groupes informels en ce qui concerne le sentiment de maîtrise organisationnelle réside davantage dans l'interprétation de la réalité organisationnelle que dans l'action concertée afin d'assurer aux membres plus de contrôle sur leur situation de travail.

5

LE GROUPE INFORMEL
ET LA GESTION DE L'INFORMATION

Objectifs du chapitre

Il existe une croyance selon laquelle les membres des groupes informels peuvent court-circuiter les canaux d'échanges d'informations dans l'organisation pour en tirer des bénéfices. L'objectif de ce chapitre est de présenter au lecteur le rôle du groupe informel dans l'accès, la rétention et la déformation possible de l'information en milieu organisationnel.

GROUPES INFORMELS ET INFORMATION

L'information en milieu de travail est une ressource très prisée, et ce, autant par les décideurs que par les employés de premier niveau (Mecanic, 1962). Cette ressource permet aux individus qui la possèdent de se sentir davantage en maîtrise dans leur environnement organisationnel. C'est pourquoi l'information constitue un important moyen de mobilisation à laquelle les gestionnaires ont recours afin de stimuler l'engagement des ressources humaines (Rondeau, Lemelin et Lauzon, 1993). Par ailleurs, en marge des efforts formels pour rendre la communication plus utilitaire et efficace, des liens informels se créent naturellement et constituent des réseaux d'échange améliorant la transmission d'informations.

Bien que ces liens naturels entre les individus semblent favoriser la diffusion d'informations, on soupçonne que certains noyaux névralgiques sont à l'origine de blocages ou de distorsions de l'information se produisant dans le cadre de jeux politiques au sein des organisations. À cet égard, les groupes informels ont souvent été suspects aux yeux des gestionnaires.

Par nos recherches, nous avons exploré le flux informationnel au niveau des groupes informels et tentés d'apporter des réponses aux questions suivantes : L'appartenance au groupe informel permet-elle d'avoir accès à plus d'informations privilégiées ? Cette information est-elle davantage retenue au sein du groupe informel qu'au sein d'autres types de groupes ? Est-ce que l'appartenance au groupe informel est associée à des tactiques de déformation de l'information ? Ainsi, nous avons donc essayé de clarifier le rôle du groupe informel en regard de l'échange de renseignements confidentiels en milieu de travail, s'inscrivant par conséquent dans une perspective organisationnelle orientée vers la dépendance par rapport aux ressources (Euske et Roberts, 1989).

ACCÈS À L'INFORMATION PRIVILÉGIÉE

Devant l'absence de définition spécifique de l'information privilégiée dans la documentation scientifique, nous définissons celle-ci comme une information à caractère organisationnel n'étant pas accessible à tous les travailleurs (French et Raven, 1959), prenant ainsi de la valeur dans le cadre de jeux politiques survenant au sein des organisations (Mintzberg, 1982). Cette information porte sur des aspects cruciaux du fonctionnement organisationnel, tels que les changements actuels et à venir, les mobiles réels des dirigeants, les liens d'influence entre les décideurs, la fiabilité des informations organisationnelles, ainsi que sur des renseignements connus avant leur annonce officielle. Ainsi, l'information est dite privilégiée en fonction des critères de pertinence, véracité et fiabilité ou encore, en fonction du moment où l'on en prend connaissance ; ces caractéristiques sont considérées comme des dimensions importantes de l'information (O'Reilly, 1982).

L'appartenance à un groupe informel pourrait être un moyen pour certains travailleurs d'accéder à plus d'informations en milieu de travail (Litterer, 1963 ; Savoie, 1993). Comparativement aux individus ayant une multitude de contacts, les gens qui entretiennent des liens d'amitié plus soutenus, comme les membres des groupes informels, sont davantage susceptibles de savoir ce qui se passe dans l'organisation lorsqu'une rumeur circule (Festinger, 1950 ; cité dans Festinger, Schachter et Back, 1950). Alors que les personnes ayant plusieurs contacts ou connaissances sont renseignées sur une multitude de sujets, l'information partagée dans les groupes informels tend à porter plus spécifiquement sur des sujets pertinents pour ses membres (Festinger *et al.*, 1950). En outre, ces échanges d'information prennent parfois un caractère stratégique en vertu de l'accès et du contrôle des ressources par certains membres des groupes informels dans la structure formelle (Dalton, 1959).

Plus encore, des études empiriques (Lortie *et al.*, 1995a ; Spénard, 1992) révèlent que le groupe constitue une source d'informations supplémentaires au travail pour les membres des groupes informels et que ces derniers, se fréquentant aussi en dehors des heures de travail, sont en mesure de se partager facilement l'information. En outre, le nivelage des statuts au sein du groupe (Roethlisberger et Dickson, 1967) et la confiance qui existe entre les membres (Krackhardt, 1992) semblent faciliter les échanges entre les membres des groupes informels. Ainsi, l'information acquise par l'entremise du groupe informel serait empreinte d'une grande fiabilité puisque communiquée directement et sans intention voilée, en plus de s'inscrire dans le cadre de relations réciproques marquées par la confiance (O'Reilly et Robert, 1976/1977).

Comme l'information organisationnelle est souvent marquée d'ambiguïté (Walton et Hackman, 1986), le partage des interprétations au sein du groupe informel (Lortie *et al.*, 1995b) pourrait constituer des avantages indéniables pour les membres des groupes informels, car l'information liée à des enjeux organisationnels ne serait pas uniquement transmise, mais également décodée et interprétée entre les membres (Litterer, 1963). Ainsi, l'entraide existant entre les membres des groupes informels favoriserait le partage de l'information privilégiée au sein du groupe.

RÉTENTION DE L'INFORMATION

Plusieurs chercheurs (Festinger *et al.*, 1950 ; Goldhaber, 1990 ; Granovetter, 1973) affirment que les membres de groupes cohésifs se communiquent rapidement les informations pertinentes, mais qu'ils les retiennent face aux non-membres. Ainsi, les membres de groupes informels pourraient retenir l'information privilégiée au sein de leur groupe dans la mesure où une forte cohésion lie les membres (Brunet, 1995) et où une frontière perceptible permet de distinguer assez clairement les membres des non-membres du groupe informel (Laroche, 1991). Cette conscience de former une unité sociale distincte au sein de l'organisation, jumelée aux fonctions de soutien politique du groupe informel, porte à croire que l'information avantageuse ou menaçante pour les membres sera conservée au sein du groupe. À cet effet, l'étude classique de Roethlisberger et Dickson (1967) suggère que la rétention d'information au sein des groupes informels peut s'expliquer par l'existence de normes de protection et d'entraide envers les membres (ex. : ne rien dire au superviseur qui puisse nuire à un autre membre). Pour sa part, Dalton (1959) considère que la rétention d'information constitue une fonction défensive des cliques face aux gestionnaires.

La diffusion de l'information dans les organisations serait effectuée par l'intermédiaire d'individus entretenant des liens faibles, ce qui favoriserait la transmission de l'information entre les groupes aux frontières plus étanches. Si l'on considère que les réseaux (structure de communication partagée entre des individus) informels ont des frontières plus floues que les groupes informels et sont constitués de personnes liées par des liens faibles, ces dernières devraient favoriser la diffusion d'informations entre les groupes.

DÉFORMATION DE L'INFORMATION

La déformation de l'information peut être définie comme étant une tactique délibérée de manipulation de l'information, effectuée pour écarter des acteurs en concurrence avec son groupe pour l'obtention ou le contrôle des ressources organisationnelles (ex. : promotion). Cette tactique peut se traduire par des comportements comme la distorsion d'information organisationnelle ou la diffusion de fausses rumeurs.

Les gestionnaires considèrent souvent que la fomentation de problèmes et la désinformation dans les organisations sont issues des relations informelles entre les travailleurs (Conrad, 1990). Or, comme l'information véhiculée dans les réseaux informels s'avère très souvent exacte (Davis, 1972 ; cité dans Goldhaber, 1990 ; Rogers et Argawala-Rogers, 1976), il y a peut-être lieu de se tourner vers les groupes informels, dont on appréhende les vertus maléfiques (Muti, 1968 ; Savoie, 1993), pour désigner les responsables de la désinformation organisationnelle.

ÉTUDES SUR LE TERRAIN

Nous avons tenté de vérifier ce qu'il en était de la relation entre les groupes informels et la gestion de l'information. Pour ce faire, 215 personnes (Boudrias, Brunet et Savoie, 2001) ont répondu à un questionnaire destiné, dans un premier temps, à déterminer leur appartenance à un groupe informel et, dans un deuxième temps, à établir le rôle joué par leur groupe informel en ce qui concerne l'accès à l'information privilégiée, la rétention d'information au sein du groupe et la déformation de l'information hors du groupe. Voici ce que nous avons observé :

1. Les membres de groupes informels déclarent accéder à plus d'informations privilégiées que ne le rapportent les non-membres de groupes informels dans deux cas :
   - lorsqu'ils occupent un poste de bas niveau dans la hiérarchie ;
   - lorsqu'ils occupent un poste de haut niveau hiérarchique.

2. Le fait d'occuper un poste de niveau hiérarchique supérieur, comparativement au fait d'avoir un poste de premier niveau, permet d'accéder à plus d'informations chez les membres de groupes informels et les non-membres de groupes informels, de même que chez les membres de réseaux informels.

3. Les membres des groupes informels rapportent retenir plus d'informations dans leur groupe que les membres d'autres groupes (comité, équipe de travail, etc.) ne l'affirment, mais uniquement lorsqu'ils font partie d'un réseau informel. En effet, l'appartenance à un groupe informel n'est pas associée à une plus grande rétention d'information pour les travailleurs qui n'appartiennent pas à un réseau informel.

4. Les membres de réseaux informels ne retiennent pas moins d'information au sein de leur groupe que ne le font les non-membres de réseaux, même que l'effet contraire, une plus forte rétention associée à l'appartenance à un réseau, pourrait potentiellement être observé chez les membres de groupes informels.

5. Les travailleurs effectuant le plus de rétention d'information sont les membres de groupes informels faisant partie d'un réseau informel.

6. Les membres de groupes informels ne rapportent pas plus que les membres d'autres groupes (comité, équipes de travail, etc.) utiliser de tactiques de déformation d'information face aux gens qui n'appartiennent pas à leur groupe.

7. Les membres de groupes (tous types confondus) appartenant à un réseau informel déclarent moins déformer l'information que ne le font les membres de groupes n'ayant pas accès à un réseau informel.

De façon générale, nos observations démontrent que le rôle du groupe informel en regard de l'accès à l'information privilégiée semble varier en fonction du niveau hiérarchique des salariés. En effet, chez les salariés de bas niveau hiérarchique, les membres de groupes informels affirment avoir accès à plus d'informations que les non-membres de groupes informels. Par contre, ce n'est pas le cas chez les salariés de plus haut niveau hiérarchique.

Pour les salariés de haut niveau hiérarchique, nos études suggèrent deux facteurs permettant d'accéder à plus d'informations privilégiées : la position dans la structure formelle et l'accès à des réseaux informels à contenu informationnel. Au départ, ces salariés détiennent des postes susceptibles de leur donner accès à plus d'informations privilégiées au travail, ce qui n'est pas le cas des salariés de premier niveau. De plus, ces travailleurs disposent d'un haut statut qui leur donne plus naturellement accès à plus d'informations privilégiées au travail, ce qui n'est pas le cas des salariés de premier niveau. De plus, ces travailleurs disposent d'un haut statut qui leur donne plus naturellement accès à une position centrale dans les réseaux de communication au sein des organisations (Conrad, 1990 ; Lincoln et Miller, 1979 ; Ibarra et Andrews, 1993). Toutefois, en contrepartie, nos études et celle de Ibarra et Andrews (1993) montrent aussi que le fait de ne pas appartenir à un réseau informationnel (ou d'y occuper une position périphérique) semble avoir un effet particulièrement néfaste sur la perception d'avoir accès à l'information chez les travailleurs de niveau hiérarchique élevé.

Pour les salariés de bas niveau hiérarchique, l'accès à l'information privilégiée serait attribuable à d'autres facteurs que leur position formelle dans l'organisation (Blackburn, 1981 ; Mecanic, 1962), notamment à l'appartenance à un groupe informel et à l'appartenance à un réseau informel. Cependant, les salariés au bas de la hiérarchie profiteraient moins de la connexion à un réseau informel comme source d'information privilégiée que les salariés situés aux paliers supérieurs. Ceci pourrait s'expliquer par la composition des réseaux informels dont les salariés de premier niveau font partie et, aussi, par leur position plus périphérique dans les réseaux influents.

Par conséquent, pour les employés de bas niveau hiérarchique, le groupe informel pourrait être un meilleur dispositif informationnel que ne l'est le réseau informel. Ainsi, les membres de groupes informels de bas niveau hiérarchique profiteraient d'une façon particulière des connaissances et des expériences des autres membres du groupe pour mieux comprendre la réalité organisationnelle. En outre, les personnes-ressources qui aident à interpréter et à décoder les signaux de l'environnement de travail pourraient être plus facilement accessibles et disponibles dans un groupe informel que par le truchement d'un réseau informel, compte tenu des liens forts qui existent entre les membres des groupes informels (Granovetter, 1973 ; Krackhardt, 1992). Aussi, l'adhésion à un groupe informel pourrait être une façon, pour les salariés de la base, de sentir qu'ils augmentent leur degré maîtrise dans leur environnement organisationnel (Mecanic, 1962).

La composition de certains types de groupes informels pourrait expliquer pourquoi l'appartenance à un tel groupe permet à des employés de premier niveau d'avoir un meilleur accès à l'information privilégiée dans les organisations. Dalton (1959) avance que les échanges d'information au sein des groupes informels verticaux prennent un caractère stratégique pour les membres de bas niveau hiérarchique en vertu de privilèges leur étant accordés par des membres de haut niveau hiérarchique contrôlant des ressources dans la structure formelle. Si cette proposition est exacte, les salariés de premier niveau intégrés à des groupes informels verticaux devraient avoir accès à plus d'informations privilégiées comparativement à ceux intégrés à des groupes informels horizontaux, où tous les membres détiennent un poste de bas niveau hiérarchique. Cependant, des données supplémentaires recueillies auprès de nos répondants ont révélé que ce n'est pas le cas, puisque les employés de premier niveau ont accès à autant d'information dans un groupe informel horizontal que dans un groupe informel vertical. Donc, les membres de groupes informels de bas niveau hiérarchique s'informent entre eux, indépendamment du fait qu'un salarié de plus haut niveau hiérarchique fasse partie du groupe.

Par ailleurs, comme les groupes informels sont des pôles sociaux autour desquels gravitent habituellement d'autres travailleurs (Boissevain, 1974), l'appartenance à un groupe informel pourrait permettre aux salariés de bas niveau hiérarchique d'élargir leur constellation de contacts dans l'organisation, ce qu'ils pourraient difficilement faire sur la seule base de leur statut formel. Ainsi, en plus d'avoir accès aux membres du groupe, les membres de groupes informels pourraient aussi avoir accès aux informations des individus gravitant dans l'entourage de leur groupe.

À cet égard, nos observations indiquent que les membres des groupes informels sont significativement plus intégrés à des réseaux informels que ne le sont les non-membres de groupes informels, et ce autant chez les salariés de bas que de haut niveaux hiérarchiques. Globalement, 84 % des membres de groupes informels de nos répondants font partie d'un réseau informel. Cette découverte corrobore les résultats de deux études : l'une montrant que les gens ayant beaucoup de contacts sont le plus intégrés à des groupements informels (Erbe, 1962) ; l'autre révélant un recouvrement important entre les échanges de nature informationnelle et de nature amicale dans les réseaux informels au sein des organisations (Brass, 1984). Bien que fort intéressants, ces recouvrements pourraient cependant causer des difficultés d'interprétation. Ainsi, il est possible que certains membres de groupes informels se soient référés aux collègues faisant partie de leur groupe informel lorsqu'ils ont affirmé avoir accès à un réseau informel orienté sur l'échange d'information. Malgré cette possibilité, le recouvrement entre ces deux variables n'est pas parfait et pourrait bien refléter la complexité et l'enchevêtrement des réseaux multiples (ex. : amitié, information, influence) dans les organisations (Conrad, 1990).

Au plan de la rétention de l'information, lorsque l'on considère les travailleurs ayant accès à un réseau informel, les membres des groupes informels déclarent davantage retenir l'information au sein de leur groupe que ne l'affirment les membres d'autres groupes. Les membres de groupes informels ne se distinguent pas des membres des autres groupes sur le plan de la rétention d'informations lorsqu'on considère les salariés non liés à des réseaux informels.

Certains éléments pourraient contribuer à l'explication des résultats découverts. D'une part la rétention d'information au sein du groupe pourrait être tributaire de l'accès à l'information des membres. Les niveaux modérés d'accès à l'information privilégiée constatés chez nos répondants pourraient avoir restreint la possibilité d'observer la rétention d'information au sein du groupe. Les membres les plus enclins à retenir l'information au sein de leur groupe sont ceux qui en détiennent le plus.

D'autre part, la documentation laisse entendre que le fait de retenir certaines informations dans le groupe informel pourrait être associé à des climats de travail où règne la méfiance entre le personnel et les gestionnaires (Steele, 1975). Par exemple, la rétention d'information pourrait assurer la protection des membres contre des supérieurs hiérarchiques qui s'attaqueraient au groupe (Dalton, 1959 ; Roethlisberger et Dickson, 1967). Dans ces contextes, la rétention d'information constituerait une forme d'entraide et de solidarité entre les membres des groupes informels. Dès lors, ce comportement présenterait des vertus adaptatives pour les travailleurs dans les organisations (Eisenberg et Witten, 1987).

Pour ce qui est de la déformation de l'information, les membres des groupes informels ne se distinguent pas des membres des autres groupes et ne déclarent pas déformer leurs informations afin d'écarter les non-membres de ressources organisationnelles convoitées. Cette découverte concorde avec les résultats d'une autre enquête, présentée au chapitre précédent, montrant que l'appartenance à un groupe informel n'est pas associée à des comportements politiques ou d'acquisition de pouvoir dans les organisations.

Nos observations démontrent que la déformation d'information est davantage rapportée par les individus non intégrés à des réseaux informels que par les membres de réseaux. Cet état de fait pourrait s'expliquer par les coûts sociaux moindres associés à l'adoption de ce comportement antisocial pour les salariés en marge des réseaux informels. En effet, les non-membres de réseaux risquent d'essuyer des pertes moins importantes s'ils sont surpris à effectuer la distorsion de l'information que ne pourraient en subir les membres de réseaux informels. Pour ces derniers, une perte de crédibilité pourrait nuire de façon importante à leur accès aux réseaux d'échanges d'informations au sein de l'organisation (Conrad, 1990).

✳
✳ ✳

Le groupe informel paraît jouer un rôle en regard de l'accès à l'information privilégiée pour les salariés de bas niveau hiérarchique. Ainsi, par l'information supplémentaire qu'il apporterait à ces salariés, le groupe informel pourrait permettre d'augmenter leur degré de maîtrise de l'environnement organisationnel. Cependant, compte tenu des niveaux d'accès à l'information confidentielle et de l'importance des informations obtenues, il est peu probable que le désir d'avoir accès à plus d'informations de nature stratégique soit un motif important incitant les salariés de premier niveau à se joindre à un groupe informel. Si tel était le cas, l'appartenance à ce type de groupe aurait vraisemblablement été davantage associée au contrôle de l'information privilégiée dans les organisations. D'après nos observations, les formes passives et actives de contrôle de l'information privilégiée correspondaient respectivement à la rétention et à la déformation de l'information. À cet égard, et dans certaines conditions, les membres des groupes informels retiennent un peu plus d'informations au sein de leurs groupes que les membres des autres types de groupes, mais il n'y a toutefois pas de différence entre ces deux types de groupes en ce qui concerne la déformation de l'information. Donc, le groupe informel ne semble pas jouer un rôle politique actif dans les organisations, contrairement aux coalitions de travailleurs qui pourraient s'unir dans le but d'atteindre certains objectifs organisationnels

RÉSUMÉ

> L'information est un moyen important de mobilisation pour des employés.

> L'information peut transiter par des réseaux informels différents des groupes informels.

> L'information privilégiée se définit comme de l'information à caractère organisationnel n'étant pas accessible à tous les travailleurs.

> Les membres de groupes informels de bas niveau hiérarchique ont accès à plus d'informations privilégiées.

> Peu importe qu'ils fassent partie d'un groupe informel, les travailleurs de niveau hiérarchique supérieur ont plus facilement accès à l'information.

> Les membres des groupes informels qui appartiennent à un réseau retiennent encore plus d'informations.

➢ Les membres des groupes informels ne déforment pas plus l'information que les autres membres de l'organisation.

➢ Les membres de groupes (peu importe le type) qui appartiennent à un réseau informel déforment moins l'information que leurs homologues n'ayant pas accès à un réseau informel.

➢ Pour les salariés de haut niveau hiérarchique, la position dans la structure formelle et l'accès aux réseaux informels permettent d'accéder à plus d'informations privilégiées.

➢ Pour les employés de bas niveaux hiérarchiques, le groupe informel pourrait être un meilleur dispositif informationnel que ne l'est le réseau informel.

➢ La rétention d'informations dans le groupe informel pourrait être associée à des climats de travail caractérisés par la méfiance.

CONCLUSION

La présence des groupes informels en milieu de travail semble être une réalité incontournable pour toutes les organisations. Bien que des conflits puissent survenir entre des groupes d'employés, ou entre des groupes d'employés et la direction, les observations que nous avons effectuées et rapportées dans ce livre présentent surtout une vision positive de ce phénomène. Ce type de regroupement naturel d'individus n'est pas *a priori* en lutte contre le pouvoir dans les organisations.

Le groupe informel constitue l'expression idiosyncrasique des besoins individuels que ressentent les membres par rapport à leur organisation, soit une configuration de facteurs environnementaux absolument uniques, propres aux personnes qui la composent.

Répondant à une volonté de mieux être et de mieux faire au travail, le groupe informel semble s'organiser sous l'impulsion d'un désir de qualité de vie au travail, d'un lieu où l'on peut avoir du plaisir, apprendre, faire des erreurs, exceller, se défouler, tout en étant accepté et soutenu.

Les travailleurs contemporains semblent avoir plus que jamais besoin de relations sociales significatives, compte tenu des conditions parfois aliénantes de travail que la conjoncture économique mondiale a créées : réduction des effectifs organisationnel (*downsizing*), perpétuelles incertitudes quant à l'avenir immédiat des organisations, mondialisation, gel de salaires, etc. Une situation d'insécurité, donc, qui exacerbe assurément les besoins socioaffectifs des travailleurs.

Or, en marge des efforts visant à rendre les organisations plus compétitives, on ignore trop souvent ou même on saborde les apports gratuits et efficaces des groupes informels en tant que dispositif naturel d'adaptation des individus qui en sont membres.

Le groupe informel répond aux besoins relationnels de ses membres, auxquels la structure formelle de l'organisation ne peut répondre, ne serait-ce que par ses dimensions impersonnelles. Or, lorsque ces besoins sont comblés, certains employés sont davantage capables de s'affirmer, de se différencier, et surtout, de développer leurs compétences. Bien sûr, les travailleurs trouvent souvent ou ont des pôles d'affiliation et d'attachement à l'extérieur du travail, tels leur famille ou leurs amis, mais jamais ces proches, quelles que soient leurs compétences, ne sont autant en mesure de les comprendre que ceux qui partagent la même situation qu'eux jour après jour. La figure 5 présente ces pôles complémentaires associés à la fonction du groupe informel. Ainsi, non seulement le groupe informel permet à ses membres de répondre aux besoins sociaux

FIGURE 5

Groupe informel et dialectique des besoins

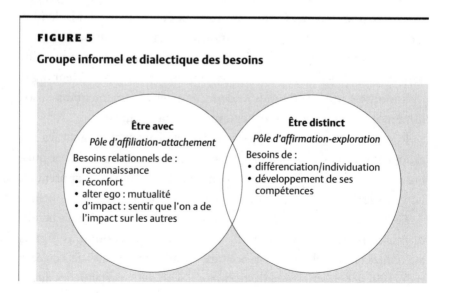

d'identité et de reconnaissances, mais il répond aussi aux besoins de distinction et de différenciation dans un milieu de travail qui pourrait devenir impersonnel, aliénant et stressant.

Force est de constater une impossibilité pour le travailleur de se défaire de son humanité et de ses besoins relationnels : d'être reconnu, soutenu et réconforté, d'être lui-même et de s'affirmer, du moins s'il désire s'adapter, maîtriser son environnement de travail plutôt que d'y devenir aliéné. Lorsque le groupe informel commence à résister au pouvoir organisationnel, ce n'est pas par gaieté de cœur. Cette résistance serait une tendance à vouloir retrouver un état antérieur, que ce soit pour la protection des méthodes de travail, des relations sociales ou des niveaux de production. Certes, des cabales ou des cliques contre-organisationnelles peuvent se développer. Il semble cependant que ce phénomène soit beaucoup plus rare qu'on le pense. De tels groupes vont souvent profiter de failles organisationnelles importantes, comme un mauvais climat de travail, une structure d'autorité trop rigide, etc., pour se développer et provoquer des confrontations. De toute façon, l'existence de tels groupes devrait amener la direction d'une organisation à réfléchir sérieusement sur sa façon de gérer les ressources humaines. La raison d'être de certains groupes affinitaires peut parfois se confondre avec la satisfaction des besoins individuels qui trouvent dans les activités groupales un exutoire à leur frustration ou une réponse à leurs attentes.

Le groupe informel doit être considéré comme un allié puissant dans les réformes ou les changements qui affectent une organisation. Il offre un soutien social permettant à ses membres de mieux interpréter leur environnement, il peut agir comme réducteur du stress et comme cadre de référence pour les comportements au travail de ses membres. On n'a qu'à penser au rôle de ce type de regroupement dans l'*empowerment* de ses membres. Ainsi, la direction d'une organisation peut profiter de ces dispositifs naturels et gratuits de soutien au travail que sont les groupes informels lors de changements importants. En effet, étant donné l'appui sociotechnique mutuel des membres, de toute évidence lié à la situation de travail et de vie au travail, les groupes informels s'avèrent des acteurs efficaces et méconnus dans l'interprétation et le contrôle, au niveau local, des bouleversements technologiques, des transformations culturelles, des refontes structurelles, voire des crises politiques. Il n'y a pas lieu d'écarter, de neutraliser ou, pis encore, d'éliminer les groupes informels. Au contraire, alimenter ces groupes de renseignements organisationnels pertinents, reconnaître et apprécier leur contribution, les consulter sur les problèmes et les projets qui peuvent les toucher, voilà autant de moyens permettant de mobiliser ces unités sociales.

BIBLIOGRAPHIE

ALDERFER, C. P. (1977). « Group and Intergroup Relations », dans J. R. Hackman et J. L. Suttle (dir.). *Improving Life at Work*, Santa Monica, Goodyear.

AMIOT, C., SAVOIE, A. et BRUNET, L. (1998). *Le groupe informel : source de soutien facilitant l'adaptation des membres en milieu de travail*, Conférence prononcée au 10ᵉ congrès de l'Association internationale de psychologie du travail de langue française (AIPTLF), Bordeaux, France.

ANZIEU, D. (1984). « Groupe (Dynamique de) », *Encyclopedia Universalis*, n° 8, 1079-1082.

ARGYLE, M., HENDERSON, M. et FURNHAM, A. (1985). « The rules of social relationships », *British Journal of Social Psychology*, n° 24, 125-139.

ASHFORTH, B. (1994). « Petty tyranny in organizations », *Human Relations*, n° 47, 755-778.

AUBÉ, C., SAVOIE, A. et BRUNET, L. (2001). « Le groupe informel et le stress occupationnel », *Psychologie du travail et des organisations*, vol. 7, nᵒˢ 1-2, 35-45.

BAKER, H. K. (1981). « Tapping into the Power of Informal Groups », *Supervisory Management*, vol. 2, 18-25.

BANDURA, A. (1977). « Self-efficacy : Toward a unifying theory of behavior change », *Psychological Review*, n° 84, 191-215.

BARON, C., SAVOIE, A. et BRUNET, L. (2001). « Normes dans les groupes informels : mythes et réalité », *Psychologie du travail et des organisations*, vol. 7, nᵒˢ 1-2, 45-63.

BEEHR, T. A. et NEWMAN, J. E. (1978). « Job stress, employee health and organizational effectiveness : A facet analysis, model and literature review », *Personnel Psychology*, n° 31, 665-699.

BERGER, P. et LUCKMANN, T. (1996). *La construction sociale de la réalité*, 2ᵉ édition, Paris, Masson/Armand Colin.

BERGERON, J. et L., CÔTÉ, N. et BÉLANGER, L. (1979). *Les aspects humains de l'organisation*, Chicoutimi, Gaëtan Morin.

BERGERON, P. G. (1986). *La gestion dynamique : concepts, méthodes et application*, Chicoutimi, Gaëtan Morin.

BERLYNE, D. E. (1965). *Structure and Direction in Thinking*, New York, Wiley.

BLACKBURN, E. et CUMMINGS, L. L. (1982). « Cognitions of Work Unit Structure », *Academy of Management Journal*, n° 25, 836-854.

BLACKBURN, R. S. (1981). « Lower participant power : toward a conceptual integration », *Academy of Management Review*, vol. 6, n° 1, 127-131.

BLAUNER, R. (1964). *Alienation and Freedom*, Chicago, The University of Chicago.

BOISSEVAIN J. (1974). *Friends of Friends : Networks, Manipulations and Coalitions*, New York, St-Martin's Press.

BOUDRIAS, J.-S., BRUNET, L. et SAVOIE, A. (2001). « Le groupe informel et son rôle en regard de l'information privilégiée », *Psychologie du travail et des organisations*, vol. 7, n°s 1-2, 79-102.

BRAMEL, D. et FRIEND, R. (1967). « The Workgroup and its Vicissitudes in Social and Industrial Psychology », *Journal of Applied Behavioral Science*, vol. 23, n° 2, 233-253.

BRASS D. J. (1984). « Being in the right place : a structural analysis of individual influence in an organization », *Administrative Science Quarterly*, n° 29, 518-539.

BRIAND, A. (1995). « Le choc de la réalité : les illusions de l'approche humaniste sur le fonctionnement des comités », *Revue québécoise de psychologie*, vol. 16, n° 1, 155-185.

BRUNET L. (1995). « Structure et fonctionnement des groupes informels : premiers résultats empiriques », *Revue québécoise de psychologie*, vol. 16, n° 1, 63-80.

BRUNET, L., SAVOIE, A. et ROUSSON, M. (1998). « Les groupes informels dans les organisations : de réjouissantes données empiriques », dans A. Savoie (dir.). *Leadership et pouvoir, équipes et groupes*, Québec, Presses Inter Universitaires, 195-204.

BRUNSWICK, E. (1943). « Organismic Achievement and Environmental Probability », *Psychological Review*, vol. 50, 255-272.

BURKE, R., WEIR, T. et DUNCAN, G. (1976). « Informal helping processes in work settings », *Academic Management*, n° 19, 370-37.

CAMERON, K. (1978). « Measuring Organizational Effectiveness in Institutions of Higher Education », *Administrative Science Quarterly*, n° 23, 604-632.

CARTWRIGHT, D. et ZANDER, A. (1960). *Group Dynamics : Research and Theory*, New York, Harper and Row.

CHAGNON, Y. (1991). *Conception et validation d'un questionnaire sur la culture organisationnelle*, Thèse de doctorat, Département de psychologie, Université de Montréal.

CHELOHA, S., RANDALL, T., FARR, L., JAMES, J. (1980). « Absenteism, Job Involvement, and Job Satisfaction in an Organizational Setting », *Journal of Applied Psychology*, vol. 65, 467-473.

COBB, A. T. (1986). « Coalition identification in organizational research », *Research and Negociation in Organizations*, n° 1, 139-154.

COHEN, S. et SYME, S. L. (1985). *Social Support and Health*, New York, Academic Press.

CONRAD C. (1990). *Strategic Organizational Communication : An Integrated Perspective*, 2ᵉ édition, Orlando, Holt, Rinehart and Winston.

COOK, J., HEPWORTH, S *et al.* (1981). *The Experience of Work : A Compendium and Review of 249 Measures and their use*, New York, Academic Press.

COOKE, R. A. et ROUSSEAU D. M. (1988). «Behavioral Norms and Expectations : A Quantitative Approach to the Assesment of Organizational Culture», *Group and Organization Studies*, vol. 13, n° 3, 245-273.

COURCY, F., GUERTIN, C., SAVOIE, A., BRUNET, L., TREMBLAY, I. (1998). «Le groupe informel et les conduites adoptées par ses membres au travail», dans A. Savoie (dir.), *Leadership et pouvoir, équipes et groupes*, Québec, Presses Inter Universitaires, 229-236.

CROZIER, M. (1963). *Le phénomène bureaucratique*, Paris, Seuil.

CUMMINGS, T. G. et MANRING, S. L. (1977). «The Relationship between Worker Alienation and Work-Related Behavior», *Journal of Vocational Beha*vior, n° 10, 167-179.

DALTON, M. (1959). *Men Who Manage*. New York, John Wiley & Sons.

DAVIS, K. (1949). *Human Society*, New York, Macmillan.

DEAN, D. (1961). «Alienation : Its Meaning and Measurement», *American Sociological Review*, n° 26, 753-758.

DIMITROVA, D. (1994). «Travail, engagement et aliénation», *Revue internationale des sciences sociales*, n° 46, 241-252.

DOYLE, S. X., PIGNATELLI, C. F. et FLORMAN, K. (1985). «The Hawthorne Legacy and the Motivation of Salespeople», *Journal of Personal Selling and Sales Management*, vol. 5, n° 2, 1-6.

DUNNETTE, M. D. (1976). *Handbook of Industrial and Organizational Psychology*, Chicago, Rand McNally.

DURAND, C. (1991). *La teneur et la dynamique, vues sous l'angle du pouvoir, de l'activité des groupes informels dans les organisations*, examen doctoral, Département de psychologie, Université de Montréal.

EISENBERG E. M. et WITTEN M. G. (1987). «Reconsidering openness in organizational communication», *Academy of Management Review*, vol. 12, n° 3, 418-426.

ELLIS, L. W. (1979). «Effective Use of Temporary Groups for New Product Development», *Research Management*, n° 22, 31-34.

ERBE, W. (1962). «Gregariousness, group membership, and the flow of information», *American Journal of Sociology*, n° 67, 502-516.

ETZIONI, D., Adler, S. et Zeira, Y. (1980). «Informal Helping Relations in Organizations : A Cross-Cultural Comparison», *Group et Organization Studies*, n° 5, 210-223.

EUSKE, N. A. et Roberts K. H. (1989). «Evolving perspectives in organizational theory», dans F. M Jablin, L. L. Putnam, K. H. Roberts et L. W. Porter (dir.). *Handbook of Organizational Communication : An Interdiscipline Perspective*, Newbury Park, Sage Publication.

FARRIS, G. F. (1979). « The informal organization in strategic decision making », *International Studies in Management and Organization*, n° 9, 37-62.

FENNEL, M. L. et Sandefur, G. D. (1983). « Structural Clarity of Interdisciplinary Teams : A Research Note », *Journal of Applied Behavioral Science*, n° 19, 193-202.

FESTINGER, L, SCHACHTER, S. et BACK K. (1950). *Social Pressures in Informal Groups*. New York, Harper.

FISHER, C. D. (1985). « Social Support and Adjustment at Work : A Longitudinal Study », *Journal of Management*, vol 11, n° 3, 39-53.

FRENCH J. P. R. et RAVEN B. H. (1959). « The Bases of Social Power », dans D. Cartwright (dir.). *Studies in Social Power*, Ann Arbor (Michigan), University of Michigan Press.

GERGEN, K. J et GERGEN, M. M. (1986). *Social Psychology*, New York, Springer-Verlag.

GOBERT, P. et VANDERBERGHE, C. (1998). *L'habilitation psychologique : une nouvelle théorie de la motivation ou un nouveau nom pour d'anciennes théories ? Élaboration du construit et validation d'une mesure*, communication présentée au 10e Congrès de l'AIPTLF, Bordeaux.

GOLDHABER, G. M. (1990). *Organizational Communication*, 5e édition, L.A, Wm. C. Brown Publishers.

GOODMAN, P. S., RAVLIN, E. et SCHMINKE, M. (1987). « Understanding groups in organizations », *Research in Organisational Behavior*, n° 9, 121-173.

GRANOVETTER M. S. (1973). « The Strength of Weak Ties », *American Journal of Sociology*, n° 78, 1360-1380.

GUAY, J. (1987). *Manuel québécois de psychologie communautaire*, Chicoutimi, Gaëtan Morin.

GURVITCH, G. (1968). *Les groupements particuliers*, Paris, PUF.

HACKMAN, J. R. et OLDMAN, G. R. (1980). *Work Redesign*, Reading (MA), Addison-Wesley.

HACKMAN, J. R. (1993). « Group Influence on Individuals », dans L. M. Hough et M. D. Dunnette, *Handbook of Industrial and Organizational Psychology*, Palo Alto, Consulting Psychology Press.

HARDY, C. et LEIBA-O'SULLIVAN, S. (1997). « The Power Behind Empowerment : Implications for Research and Practice », *Human Relations*, vol. 51, n° 4, 451-483.

HELSON, H. (1964). *Adaptation-Level Theory : An Experimental and Systematic Approach to Behavior*, New York, Harper et Row Publishers.

HENDERSON, M. et ARGYLE, M. (1986). « The informal rules of working relationships », *Journal of Occupationnal Behavior*, vol. 7, n° 3, 259-275.

HETTEMA, P. J. (1979). *Personality and Adaptation*, G. E. Stenach et P. A. Vroom, (dir.). Amsterdam, North-Holland Publishing Company.

HOLT, R. R. (1993). « Occupational Stress », dans L., Goldberg, S. Breznitz, (dir.). *Handbook of Stress : Theorical and Clinical Aspects*, New York (NY), Free Press, 685-705.

HOMANS, G. C. (1950). *The Human Group*, New York, Harcourt, Brace and World.

HUSSEIN, R. T. (1989). « Informal groups, leadership and productivity », *Leadership and Organization Development Journal*, n° 10, 49-76.

IBARRA, H. (1992). « Structural Alignments, Individual Strategies and Managerial Action : Elements toward a Network Theory of Getting Things Done », dans N. Nohria et R. E. Eccles (dir.). *Network and Organizations : Structure, Form and Action*, Boston, Harvard Business School Press, 165-188.

IBARRA H. et ANDREWS, S. B. (1993). « Power, social influence and sense making : effects of network centrality and proximity on employee perceptions », *Administration Quaterly*, vol. 38, n° 2, 277-303.

JACQUES, J. (1979a). « Le groupe : sa nature », dans J. L Bergeron, N. Côté-Léger, J. Jacques et L. Bélanger (dir.). *Les aspects humains de l'organisation*. Chicoutimi, Gaëtan Morin, 153-169.

JACQUES, J. (1979b). « Le groupe : son fonctionnement », dans J. L Bergeron, N. Côté-Léger, J. Jacques et L. Bélanger (dir.). *Les aspects humains de l'organisation*. Chicoutimi, Gaëtan Morin, 171-189.

JOHNS, G. et NICHOLSON, N. (1985). « The meaning of absence : New strategies for theory and research », *Research in Organizational Behavior*, n° 4, 127-172.

JOURDAIN, S. (1988). *L'informel et le groupe dans l'organisation*, mémoire de maîtrise, Département de psychologie, Université de Montréal.

JURKOVITCH, R. (1974). « A Core Typology of Organizational Environments », *Administrative Science Quarterly*, vol. 19, n° 3, 380-394.

KANUNGO, R. N. (1992). « Alienation and empowerment : Some ethical imperatives in business », *Journal of Business Ethics*, n° 11, 413-422.

KATZ, D. et KAHN, R. L. (1978). *Social Psychology of Organizations*, New York, Wiley.

KIPNIS, D., SCHMIDT, S. M. et WILKINSON, I. (1980). « Intraorganizational Influence Tactics : Explorations in Getting One's Way », *Journal of Applied Psychology*, vol. 65, n° 4, 440-452.

KRACKHARDT D. (1992). « The Strength of Strong Ties : The Importance of Philos in Organizations », dans N. Nohria et R. G. Eccles (dir.). *Networks and Organizations : Structure, Form and Action*, Boston, Harvard Businness School Press, 123-140.

KREITNER, R et KINICKI, A. (1989). *Organizational Behavior*, Boston (MA), Irwin.

LABRIE, S. (2000). *Étude exploratoire du rôle politique du groupe informel en milieu de travail*, thèse de doctorat inédite, Département d'administration et d'éducation, Université de Montréal.

LABRIE, S. et BRUNET, L. (1998). « L'influence des membres de groupes informels en milieu de travail, la fin d'un mythe ? », dans A. Savoie (dir.). *Leadership et pouvoir, équipes et groupes*, Québec, Presses Inter Universitaires, 217-228.

LANDRY, S. (1988). *Le processus d'émergence de la structure du pouvoir dans les groupes restreints : la place des femmes et la place des hommes*, thèse de doctorat, Département de communication, Université du Québec à Montréal.

LANDRY, S. (1995). « Le groupe restreint : premisses conceptuelles et modélisation », *Revue québécoise de psychologie*, vol. 16, n° 1, 45-63.

LAROCHE, R. (1991). *La structure interne du groupe informel dans l'organisation : Synthèse théorique et conception d'une méthodologie*, mémoire de maîtrise, Département de psychologie, Université de Montréal.

LAWLER, E., BACHARACH, S. B. (1983). «Political Action and Alignments in Organizations», *Research in the Sociology of Organizations*, n° 2, 83-107.

LAZARUS, R. S. (1976). *Patterns of Adjustment*, New York, McGraw-Hill.

LEMOINE, C. (1995). «Groupes informels, contestation ou regulation de l'organisation», *Psychologie du travail et des organisations*, n° 1, 65-73.

LEVINE, J. M. et PAVELCHAK, M. A. (1984). «Conformité et obéissance», dans S. Moscovici. *Psychologie sociale*, Paris, PUF, 25-50.

LEVY-LEBOYER, C. (1974). *Psychologie des organisations*, Paris, PUF.

LEWIN, K. (1951). *Field Theory in Social Science*, New York, Harper and Bros.

LINCOLN J. R. et MILLER, J. (1979). «Work and friendship ties in organizations : A comparative analysis of relational network», *Administration Quarterly*, vol. 24, n° 2, 181-198.

LITTERER, J. A. (1963). *Organization : Structure and Behavior*, New York, Wiley & Sons.

LORD, F. M. et NOVICK, M. R. (1968). *Statistical Theories of Mental Test Scores*, Reading, Addison-Wesley Publishing Co.

LORRAIN, J. et BRUNET, L. (1993). «L'émergence des groupes informels : un modèle écologique», dans P. Goguelin et M. Moulin (dir.). *La psychologie du travail à l'aube du XXIe siècle*, Paris, Éditions EAP, 619-627.

LORTIE, G., BRUNET, L. et SAVOIE, A. (1995a). «Le groupe informel : dispositif social de soutien de ses membres», *Revue québécoise de psychologie*, n° 16, 81-95.

LORTIE, G., SAVOIE, A. et BRUNET, L. (1995b). «Les groupes informels en milieu de travail : élaboration et validation d'une mesure», *Psychologie du travail et des organisations*, vol. 1, n°s 2-3, 74-85.

LUTHANS, F., BAACK, D. et TAYLOR, L. (1987). «Organizational commitment : Analysis of antecedents», *Human Relations*, n° 40, 219-236.

MAILLET, L. (1988). *Psychologie et organisations : l'individu dans son milieu de travail*, Montréal, Agence d'ARC.

MARCIL-DENAULT, E., SAVOIE, A et BRUNET, L. (1998). «Le groupe informel : dispositif social naturel de gestion du stress au travail», dans A. Savoie (dir.). *Leadership et pouvoir, équipes et groupes*, Québec, Presses Inter Universitaires, 205-216.

MECANIC, D. (1962). «Sources of power of lower participant in complex organizations», *Administrative Science Quaterly*, n° 7, 349-364.

MILES, M. B. et HUBERMAN, A. M. (1984). *Qualitative Data Analysis : A Source of New Methods*, Beverly Hills (CA), Sage.

MINTZBERG, H. (1973). *The Nature of Managerial Work*, New York, Harper et Row.

MINTZBERG, H. (1982). *Power in and around the Organization*, Theory of management policies series, New Jersey, Prentice Hall.

MOBLEY, W. H., Horner, S. O. et Hollingsworth, A. T. (1978). «An Evaluation of Hospital Employees Turnover», *Journal of Applied Psychology*, vol. 63, n° 4, 408-414.

MOOS, R. H. (1976). *Human Adaptation : Coping with Life Crises*, D. C Heath and Company, Lexington, Lexington Books.

MORIN, E. (1996). *Psychologies au travail,* Montréal, Gaëtan Morin.

MORTIMER, T., JEYLAN, J. et LORENCE, J. (1989). « Satisfaction and Involvement : Disentangling a Deceptively Simple Relationship », *Social Psychology Quarterly,* vol. 52, 249-265.

MOULLET, M. (1992). *Le management clandestin,* Paris, Inter Édition.

MOWDAY, R. T., STEERS, R. M. et PORTER, L. W. (1979). « The measurement of organizational commitment », *Journal of Vocational Behavior,* n° 14, 224-247.

MUCHIELLI, R. (1989). *La dynamique des groupes,* Paris, ESF, Librairies techniques.

MUTI R. S. (1968). « The informal group : what it is and how it can be controlled », *Personnel Journal,* n° 47, 563-570.

NELSON, R. E. (1986). « Social Networks and Organizational Intervention : Insights from an Area-Wide Labor-Management Committee », *Journal of Applied Behavioral Sciences,* n° 22, 65-76.

NELSON, R. E. (1989). « The Strength of Strong Ties : Social Networks and Intergroup Conflict in Organizations », *Academy of Management Journal,* n° 32, 377-401.

NIGHTINGALE, D. V. et TOULOUSE, J. M. (1978). « Alienation in the workplace : A comparative study in French and English Canadians organizations », *Canadian Journal of Behavioral Science,* n° 10, 271-282.

O'REILLY, C. A. et ROBERTS K. H. (1976). « Relationships among components of credibility and communication behaviors in work units », *Journal of Applied Psychology,* vol. 61, 99-102.

O'REILLY, C. A. et ROBERTS, K. H. (1977). « Task group structure, communication and effectiveness in three organizations », *Journal of Applied Psychology,* vol. 62, n° 6, 674-681.

O'REILLY C. A. (1982). « Variations in decision maker's use of information sources : the impact of quality and accessibility of information », *Academy of Management Journal,* vol. 25, n° 4, 756-771.

OTT, J. S. (1989). *The Organizational Culture Perspective,* Pacific Grove (CA), Brooks/Cole.

OUCHI, W. (1985). *Un nouvel esprit d'entreprise,* Paris, Inter Éditions.

PERREAULT, C., SAVOIE, A. et BRUNET, L. (1998). « L'aliénation, l'expérience groupale et le groupe informel : des liens intéressants », dans A. Savoie (dir.). *Leadership et pouvoir, équipes et groupes,* Québec, Presses Inter Universitaires, 237-244.

PETERS, T. J. et WATERMAN, J. R. (1984). *In Search of Excellence,* New York, Warner Books.

PFEFFER, J. et SALANCIK, G. R. (1978). *The External Control of Organizations,* New York, Harper et Row.

POLSKY, H. W. (1978). « From Claques to Factions : Subgroups in Organizations », *Social Work,* n° 23, 94-98.

PORTER, L. W., Steers, R. M., Mowday, R. T., et Boulian, P.V. (1974). « Organizational commitment », *Psychological Bulletin,* n° 98, 310-357.

PROVOST, M. A. (1995). *Le soutien social : quelques facettes d'une notion à explorer*, Eastman, Éditions Behaviora.

QUINN, R. E. et ROHBRAUGH, J. (1981). « A Competing Values Approach to Organizational Effectiveness », *Public Productivity Review*, n° 5, 122-140.

RAZZA, N. J. (1993). « Determinants of Direct-Care Staff Turnover in Group Homes for Individuals with Mental Retardation », *Mental Retardation*, vol. 31, n° 5, 284-291.

RICHARD, B. (1995). *La psychologie des groupes restreints*, Québec, Presses Inter Universitaires.

RIGGIO, R. E. (1996). *Introduction to Industrial/Organizational Psychology*. New York, Harper Collins College Publishers.

ROETHLISBERGER F. J. et DICKSON W. J. (1967). *Management and the Worker*, Cambridge (MA), Harvard University Press (ouvrage original publié en 1939).

ROGERS, E. et ARGAWALA-ROGERS, R. (1976). *Organizational Communication*, New York, Free Press.

ROGERS, E. M. et KINCAID, D. L. (1981). *Communication Networks, Toward a New Paradigm of Research*, New York, Free Press.

ROGERS, J. K. (1995). « Just a temp : Experience and structure of alienation in temporary clerical employment », *Work and Occupations*, n° 22, 137-166.

RONDEAU A., LEMELIN M., et LAUZON, N. (1993). *Les pratiques de mobilisation : vers une typologie d'activités favorisant l'implication au travail et l'engagement organisationnel*, Centre de documentation de l'École des Hautes Études Commerciales de Montréal, Université de Montréal.

ROUSSEAU, P. (1990). *Comprendre et gérer les conflits dans les entreprises et les organisations*, Lyon, Chronique Sociale.

ROUSSEAU, V., BRUNET, L. et SAVOIE, A. (2001). « Aliénation au travail : rôle des groupes informels », *Psychologie du travail et des organisations*, vol. 7, n°s 1-2, 21-34.

SAGIE, A. et WEISBERG, J. (1996). « A Structural Analysis of Behavior in Work Situations Shared by Group Members », *The Journal of Psychology*, vol. 130, n° 4, 371-381.

ST-ARNAUD, Y. (1989). *Les petits groupes, participation et communication*, Montréal, Presses de l'Université de Montréal.

SAINT-GERMAIN, M. (1997). « Du pouvoir de la gestion à la gestion du pouvoir », dans L. Corriveau et M. Saint-Germain (dir.). *Transformation des enjeux démocratiques*, Montréal, Éditions Logiques, 103-165.

SATHE, V. (1983). « Implications of Corporate Culture : A Managers guide to action », *Organizational Dynamics*, vol. 12, n° 2, 5-23.

SAVOIE, A. (1983). *Le stress au travail : mesures et prévention*. Montréal, Agence d'ARC.

SAVOIE, A. (1987). *Le perfectionnement des ressources humaines en organisation*, Montréal, Agence d'ARC.

SAVOIE, A. (1993). « Les groupes informels dans les organisations : cadre général d'analyse », *Psychologie canadienne*, n° 34, 79-97.

SAYLES, L. R. (1963). « Work group behavior and the larger organization », dans J. A. Litterer (dir.). *Organizations : Structure and Behavior*, New York, Wiley & Sons, 163-170.

SCHEIN, V. E. (1977). «Individual power and political behavior in organizations : an inadequately explored reality», *Academy of Management Review*, n° 2, 64-72.

SCHEIN, E. H. (1992). *Organizational Culture and Leadership*, San Francisco, Jossey Bass.

SCOTT, W. R. (1981). *Organizations : Rational, Natural and Open Systems*, Englewood Cliffs (NJ), Prentice Hall.

SCOTT, D. K. et Wimbush, C., J. (1991). «Teacher Absenteism in Secondary Education», *Educational administration Quarterly*, vol. 27, n° 4, 506-509.

SEEMAN, M. (1959). «On the Meaning of the Alienation», *American Sociological Review*, n° 24, 783-791.

SHAW, M. (1981). *Group Dynamics*, Montréal, McGraw-Hill.

SHEPARD, J. M. (1972). «Alienation as a process : Work as a case in point», *The Sociological Quarterly*, n° 13, 161-173.

SHEPARD, J. M. (1973). «Technology, division of labor, and alienation», *Pacific Sociological Review*, n° 16, 61-87.

SMIRCICH, L. (1983). «Concept of Culture and Organizational Analysis», *Administrative Science Quarterly*, n° 28, 339-358.

SPÉNARD, A. (1992). *Étude exploratoire sur les groupes informels et leur organisation*, mémoire de maîtrise, Département de psychologie, Université de Montréal.

SPREITZER, G. M. (1995a). «Psychological empowerment in the workplace : Dimensions, measurement, and validation», *Academy of Managerial Journal*, vol. 38, n° 5, 1442-1465.

SPREITZER, G. M. (1995b). «An empirical test of a comprehensive model of intrapersonal empowerment in the workplace», *American Journal of Community Psychology*, vol. 23, n° 5 , 601-630.

SPREITZER, G. M. (1996). «Social structural caracteristics of psychological empowerment», *Academy of Managerial Journal*, vol. 39, n° 2, 483-504.

STEELE, F. (1975). *The Open Organization : The Impact of Secrecy and Disclosure on People and Organizations*, Reading, Addison-Wesley.

STEVENSON, W. B., PEARCE, J. L. et PORTER, L. W. (1985). «The Concept of Coalition in Organisation Theory and Research», *Academy of Management Review*, n° 10, 256-267.

STRAPOLI, G. K. (1975). «Can organizational developpement help data processing?», *Data Management*, n° 13, 23-25.

STRAUSS, G. et SAYLES, L. R. (1967). *Personnel : The Human Problems of Management*, Englewood Cliffs (NJ), Prentice-Hall.

SUMMERS, D. V. (1986). *Organizing in Middle Management : A Politic-Structural Model of Coalition Formation in Complex Organizations*, thèse de doctorat, New Haven (CT), Yale University.

SUTTON, R. I. et KHAN, R. L. (1986). «Prediction, understanding, and control as antidotes to organisational stress», dans J. Lorsh (dir.). *Handbook of Organisational Behavior*, Englewood Cliff (NJ), Jossey-Bass.

TANNENBAUM A. S. (1967). *Psychologie sociale de l'organisation industrielle*, Paris, Éditions Hommes et Techniques.

TANNENBAUM, A. S. *et al.* (1974). «A Social Information Processing Approach to Job Attitudes and Task Design», *Administrative Science Quarterly*, vol. 23, n° 2, 224-253.

TETRICK, L. E. et LaROCCO, J. M.(1987). «Understanding, prediction, and control as moderator of the relationships between perceived stress, satisfaction, and psychological well-being», *Journal of Applied Psychology*, vol. 72, n° 4, 538-543.

THIBAULT, J. W. et KELLY, H. H. (1959). *The Social Psychology of Groups*, New York, Wiley.

THOITS, P. A. (1995). «Stress, Coping, and Social Support Processes : Where Are We? What Next?», *Journal of Health and Social Behavior*, numéro spécial, 53-79.

THOMAS, K. W. et VELTHOUSE, B. A. (1990). «Cognitive elements of empowerment : An interpretive model of intrinsic task motivation», *Academy of Management Review*, n° 15, 666-681.

TICHY, N. (1973). «An analysis of clique formation and structure in organizations», *Administrative Science Quarterly*, n° 18, 194-208.

TICHY, N. et FOMBRUN, C. (1979). «Network analysis in organizational settings», *Human Relations*, n° 32, 923-956.

TRIST, E. L., et BAMFORTH, K. W. (1951). «Some Social and Psychological Consequences of the Longwall Method of Coalgetting», *Human Relations*, vol. 4, 3-38.

TYMON, W. G. (1988). *An Empirical Investigation of a Cognitive Model of Empowerment*, Philadelphia, UMI Columbia University.

WALTON, R. E. et HACKMAN, R. J. (1986). «Groups under contrasting management strategies», dans P. S. Goodman (dir.). *Designing Effective Workgroups*, San Fransisco, Jossey Bass.

WHITE, R. W. (1974). «Strategies of Adaptation : An Attempt at Systematic Description», dans G.V. Coelho, D. A. Hamburg et J. E. Adams (dir.). *Coping and Adaptation*, New York, Basic Books Publishers.

WILCOX, B. L. (1981). «Social Support, Life Stress, and Psychological Adjustment : A Test for the Buffering Hypothesis», *American Journal of Community Pychology*, n° 9, 371-386.

WILSON, S. (1978). *Informal Groups : An Introduction*, Englewood Cliff (NJ), Prentice-Hall.

YUKL, G., LEPSINGER, R. et LUCIA, T. (1992). «Preliminary Report on Development and Validation of the Influence Behavior Questionnaire», dans K. E. Clark, M. B. Clark et D. P. Campbell (dir.). *Impact of Leadership*, North Carolina, Center for Creative Leadership, 417-427.

ZAREMBA, A. (1988). «Working with the Organizational Grapevine», *Personnel Journal*, n° 67, 38-42.

ZIMMERMAN, M. A. (1990). «Toward a theory of learned hopefulness : A structural model analysis of participation and empowerment», *Journal of Research in Personality*, n° 24, 71-86.

ZIMMERMAN, M. A. (1995). «Psychological empowerment : Issues and illustrations», *American Journal of Community Psychology*, vol. 23, n° 5, 581-599.

ZIMMERMAN, M. A. et Rappaport, J. (1988). «Citizen participation, perceived control, and psychological empowerment», *American Journal of Community Psychology*, vol. 16, n° 5, 725-750.

TABLE DES MATIÈRES

Autres titres disponibles dans la collection Paramètres

Agrippine, Arthur et compagnie
Sous la direction de MARIO PROULX,
NICOLE CARDINAL et LORRAINE
CAMERLAIN
En collaboration avec les Belles Soirées
de la Faculté d'éducation permanente
de l'Université de Montréal et la chaîne
culturelle de Radio-Canada

Alimentation et vieillissement
GUYLAINE FERLAND

L'autoformation
Pour apprendre autrement
NICOLE ANNE TREMBLAY

Éléments de logique contemporaine
Deuxième édition
FRANÇOIS LEPAGE

L'éthique de la recherche
*Guide pour le chercheur
en sciences de la santé*
HUBERT DOUCET

Éthique de l'information
*Fondements et pratiques
au Québec depuis 1960*
ARMANDE SAINT-JEAN

Faire dire
L'interview à la radio-télévision
CLAUDE SAUVÉ
En collaboration avec
JACQUES BEAUCHESNE

**La gestion des ressources humaines
dans les organisations publiques**
LOUISE LEMIRE et YVES-C. GAGNON

Immigration et diversité à l'école
*Le débat québécois dans
une perspective comparative*
MARIE MC ANDREW

**Introduction
aux relations internationales**
DIANE ÉTHIER et MARIE-JOËLLE ZAHAR

Le modèle ludique
*Le jeu, l'enfant avec déficience
physique et l'ergothérapie*
Troisième édition
FRANCINE FERLAND

**Pour comprendre le nationalisme
au Québec et ailleurs**
DENIS MONIÈRE

La psychocriminologie
*Apports psychanalytiques
et applications cliniques*
DIANNE CASONI et LOUIS BRUNET

La radio à l'ère de la convergence
*Textes présentés lors du colloque tenu à
l'Université d'Ottawa le 11 octobre 2000*
En collaboration avec la chaîne culturelle
de Radio-Canada

Le régime monétaire canadien
Institutions, théories et politiques
Nouvelle édition
BERNARD ÉLIE

Savoir entreprendre
Douze modèles de réussite
Études de cas
LOUIS JACQUES FILION

Séduire par les mots
*Pour des communications publiques
efficaces*
JEAN DUMAS

Le système politique américain
Nouvelle édition
Sous la direction d'EDMOND ORBAN et
MICHEL FORTMANN

Les temps du paysage
Sous la direction de PHILIPPE
POULLAOUEC-GONIDEC, SYLVAIN PAQUETTE
et GÉRALD DOMON

Les visages de la police
Pratiques et perceptions
JEAN-PAUL BRODEUR

MEMBRE DE SCABRINI MEDIA

Québec, Canada
2003